Lola's geheime missie

Lees ook:
Hier is Lola!
Lola in actie

Isabel Abedi

Lola's geheime missie

Deel 3

Met illustraties van Dagmar Henze

Van Holkema & Warendorf

Voor Sofia, Papoula, Moema en Josephine, die geholpen hebben met Lola's missie. Voor Eduardo Macedo & Kakao Company, die echt bestaan. En voor Christiane Düring, die mij indertijd vroeg om over Lola te schrijven.

ISBN 978 90 475 1191 5
NUR 283

Uitgeverij Unieboek | Het Spectrum bv, Postbus 97,
3990 DB Houten
Oorspronkelijke titel: *Lola in geheimer Mission*

www.unieboekspectrum.nl

Tekst: Isabel Abedi
Vertaling: Michiel Nijenhuis
Illustraties: Dagmar Henze
Zetwerk binnenwerk: ZetSpiegel, Best

INHOUD

DE HUBBA BUBBA-RAMP EN MIJN ALLERLAATSTE VERJAARDAGSWENS

In de nacht voor mijn tiende verjaardag was alles nog goed. Misschien wel te goed, en mijn oma zegt dan ook dat je de dag niet moet prijzen voordat de avond is gevallen. Of de nacht niet voor de ochtend. Maar ik had iets heel bijzonders gedaan.

In de nacht voor mijn tiende verjaardag had ik de mensheid gered van de Hubba Bubba-ramp.

De vijand – een gevreesde kinderhater met de naam Koppenrat – had gedreigd om alle Hubba Bubba-kauwgum op de hele wereld te vergiftigen. Bij deze zaak hadden ze mijn hulp nodig. Ik: een Duits-Braziliaanse top-agente en de enige kinderagent ter wereld.

Ik had al heel veel opdrachten met succes uitgevoerd, maar deze zaak was echt heel bedreigend.

Koppenrat had een dodelijk gif ontwikkeld dat hij

in alle supermarkten in pakjes Hubba Bubba wilde spuiten. Het gevolg: nietsvermoedende kinderen zouden Hubba Bubba-kauwgum kopen en erop kauwen. Dan zouden ze bellen blazen, en dan zouden ze doodgaan.

Het gif in de kauwgum zou de Hubba Bubba-bellen met een ontplofbaar gas vullen. Eerst zouden de kauwgumbellen zo groot worden als heteluchtballonnen. De kinderen zouden met hun Hubba Bubba-heteluchtballon-bellen opstijgen en op 70.000 kilometer hoogte deed het ontplofbare gas dan zijn werk. De Hubba Bubba-bellen zouden ontploffen.

En de kinderen: die zouden neerstorten en doodgaan.

Het was dus mijn missie om deze ramp te voorkomen. Ik had daar precies een uur de tijd voor. Voor gewone mensen een onvoorstelbare prestatie, maar voor mij en mijn speciale uitrusting een kleinigheid.

Met behulp van een nachtkijker, zeventien valse paspoorten en mijn spionnenpen ontdekte ik de vijand en betrapte hem op heterdaad in een supermarkt.

Koppenrat had het eerste pakje Hubba Bubba al met zijn spuit vergiftigd en lachte met een schor,

kwaadaardig geluid. Ik legde mijn hand op zijn schouder.

Koppenrat draaide zich om, keek me spottend aan en vroeg: 'Wat ben jij voor dametje?'

Ik glimlachte.

En toen zei ik: 'Mijn naam is Fond. Jane Fond.'

Dat was genoeg, meer hoefde ik niet te zeggen.

Koppenrat liet de spuit vallen. Van angst droop er groen schuim uit zijn mond. En toen trof ik hem met zijn eigen wapen. Ik hield het vergiftigde pakje Hubba Bubba-kauwgum onder zijn neus en zei streng: 'Uitpakken.'

Wat kon Koppenrat anders doen? Hij pakte er een stukje kauwgum uit.

Ik zei: 'Kauwen.'

Koppenrat kauwde.

Ik zei: 'Bellen blazen.'

Koppenrat bolde zijn wangen en blies een bel. De Hubba Bubba-kauwgum begon op te zwellen.

Toen zweefde Koppenrat over de kauwgumafdeling, de vleesbalie en de speciale aanbiedingen heen naar de uitgang. Buiten ging hij verder de lucht in. Ik keek hem na met mijn nachtkijker. Ergens tussen Mars en Jupiter werd het ontplofbare gas actief. *Pang!* De vijand in het heelal. En ik, kinderagente

Jane Fond, was de heldin van de nacht. Ik had de wereld gered en Koppenrat naar Mars gestuurd.

Deze gedachte vond ik zo mooi dat ik daarna weer echt *ik* werd. Jane Fond was ik namelijk pas sinds twee weken, en dan alleen 's nachts, als ik niet kon slapen.

Als ik echt *ik* ben, dan ben ik Lola. Lola Veloso, dochter van papai en mama, kleindochter van opa en oma, nicht van tante Liesbeth en beste vriendin van Flo.

Koppenrat is in de echte wereld mijn rekenleraar, maar soms is hij ook de vijand. Flo zegt dat meester Koppenrat een schoft is omdat hij meisjes niet mag. Dat merk je doordat hij ons in de les vaak 'dametjes' noemt. Dametjes, ik bedoel maar: is dat niet het toppunt?

En vandaag, op de laatste schooldag voor de herfstvakantie, had meester Koppenrat mijn pakje Hubba Bubba-kauwgum afgepakt, alleen maar omdat ik het naast mijn pen wilde leggen.

Ik ben gék op Hubba Bubba-kauwgum en soms troost het me als ik er alleen maar naar kijk. Die ochtend was dat ook zo. We deden een heel moeilijk rekenproefwerk en omdat ik niet één som kon oplossen, haalde ik het pakje Hubba Bubba-kauwgum tevoorschijn dat ik van mijn laatste zakgeld

had gekocht. Met colasmaak, mijn lievelings-Hubba Bubba. En wat deed meester Koppenrat? Hij pakte mijn kauwgum af en zei met een heel gemene grijns: 'Als het dametje alles goed heeft, krijgt ze de kauwgum na de vakantie weer terug. Zo niet, dan krijgt ze in plaats daarvan een zakje kikkersnoepjes.'

Annalisa giechelde, maar naast mij balde Flo haar vuisten en ik had meester Koppenrat voor zijn gemene rotgrapje het liefst in zijn vingers gebeten.

Natuurlijk zou ik de kauwgum na de vakantie niet terugkrijgen, want wie geen rekensommen heeft opgelost, kan ze ook niet goed hebben. Dat kan zelfs ik nog wel uitrekenen. En dat met die kikkersnoepjes was echt helemaal erg! Meester Koppenrat weet heel goed dat ik een kikkerfobie heb. Een fobie is een heel grote angst – in mijn geval voor kikkers – en daar mag je geen grapjes over maken. Maar toch. Dat stomme rekenproefwerk en die stomme Koppenrat konden mijn goede humeur niet verpesten. Morgen begon de vakantie. Morgen werd ik tien.

En nu was het vijf minuten voor middernacht en was ik zeg maar vijf minuten voor tien. Mijn hoofdhuid jeukte, zoals altijd wanneer ik zenuwachtig ben. En omdat ik nu echt niet meer kon slapen, be-

sloot ik in de keuken een glas sap te halen. Mama lag al uren op bed omdat ze de die dag ochtenddienst had gehad in het ziekenhuis en na haar werk altijd doodmoe is.

Papai is normaal gesproken om deze tijd in De Parel van het Zuiden, ons Braziliaanse restaurant aan de haven. Maar vandaag had Penelope dienst en omdat het zoals wel vaker niet druk was, kon papai thuisblijven.

Kennelijk was opa ook al terug. Ik hoorde zijn stem door de keukendeur en mijn hoofdhuid ging nog meer jeuken.

'Straks kunnen jullie iemand feliciteren die tien is geworden,' wilde ik al roepen. Maar toen bleef ik staan met de deurkruk in mijn hand. Opa's stem klonk erg vreemd. Gedempt, alsof hij door een dot watten praatte. Daarom hoorde ik ook maar een paar woorden, en zelfs die verstond ik niet goed, omdat ik niet wist wat ze betekenden.

'Naheffing van de belasting,' zei opa's gedempte wattenstem, en: 'die krediethaaien vreten onze reserves op,' en: 'draaien de geldkraan dicht.'

Hè? Wat waren krediethaaien? Haaien die reserves opvraten? Maar wat waren reserves? En wat was een geldkraan? O jee. Volwassenen gebruiken echt de raarste uitdrukkingen. Kennelijk verstond

papai opa ook niet. 'En w
tekent dat?' hoorde ik
vragen.

Opa's wattenstem z
als 'krap voor Pene
'restaurant moet lope

Waarom reserve
krediethaaien en di
geldkranen krap waren voo
nelope begreep ik niet, maar de rest wel. 'Het restaurant moet lopen' betekende dat De Parel van het Zuiden meer klanten nodig had. Dat zei opa de laatste tijd wel vaker, want het was bijna nooit echt druk in het restaurant. 'De laatste keer was drie weken geleden,' hoorde ik papai door de keukendeur zeggen.

Ja, drie weken geleden had De Parel van het Zuiden goed gelopen! Toen vierde een gast er zijn verjaardag en had Penelope voor hem gezongen, in haar strakke glitterjurk. Als de moeder van Flo zingt op het podium van ons restaurant, stralen haar blauwe ogen en ziet ze eruit als een superster.

Dat moet de gast, een man met een blonde staart, ook hebben gevonden, want hij gaf Penelope een roos en bood haar zelfs een baan aan. In zijn vijf-

met bar en livemuziek. Maar daar had
atuurlijk alleen maar om gelachen.

otte is ze *onze* serveerster,' mompelde ik,
jl mijn hand nog steeds op de deurkruk lag.
dertussen was het vast al middernacht en was ik
ien. Tien!

Maar ergens had ik het gevoel dat ik nu niet meer de keuken in moest gaan. Ik hoorde papai zeggen: 'Misschien zou het goed zijn als de krant iets over De Parel van het Zuiden schreef. Dat is altijd goede reclame.'

Opa's wattenstem zei iets als 'afgezegd', 'volgeboekt' en iets over een restauranttester die hij vorige week had gebeld. Hoewel ik weer niet wist wat hij daarmee bedoelde, vond ik papai's idee van de krant goed.

Ik had in de afgelopen weken namelijk veel beleefd met de krant. Ik was journaliste en stond met mijn artikel op de voorpagina van onze schoolkrant.

Nu stond ik op blote voeten voor de keukendeur en voelde ik me opeens een echte spionne. Wat opa had gezegd klonk op de een of andere manier gevaarlijk. Maar papai's idee klonk geruststellend. Ik ging terug naar bed en stuurde een allerlaatste verjaardagswens de hemel in.

'Ik wens,' fluisterde ik, 'dat De Parel van het Zuiden in de krant komt.'

Toen kruiste ik mijn vingers en moest ik opeens denken aan iets wat opa soms zegt: 'Met wensen moet je voorzichtig zijn. Als ze uitkomen, begint het gedonder.'

Deze zin plofte opeens in mijn hoofd en roetsjte toen naar beneden in mijn borst, waar hij bleef hangen. Toen voelde ik me alsof er een splinter in mijn hart zat. Dat was heel raar. En zo vervelend dat ik wenste dat ik niets had gewenst, hoewel het toch eigenlijk een goede wens was geweest.

Maar opa had gelijk. Op de avond van mijn tiende verjaardag zag het er echt naar uit dat mijn wens in vervulling zou gaan. En daarover zou ik mezelf in de komende weken zulke grote verwijten maken, dat ik er bijna in stikte.

VERJAARDAGSSPRONGEN EN CADEAUS

De volgende ochtend werd ik wakker van een kleverige hand op mijn wang. Ik was nog zo slaperig dat ik eerst helemaal niet doorhad wat er gebeurde. Maar het volgende moment werd er een al even kleverige mond op mijn oor gedrukt en daaruit klonk, als uit een hele harde speaker: 'OLA JADAG!'

'Au! Wil je me dood hebben?' Kwaad kwam ik overeind, wreef mijn oor uit en keek in het met jam besmeurde gezicht van mijn tante. Tante Liesbeth vertrok angstig haar mondje, maar toen ik haar omhelsde straalde ze weer.

Toen zag ik ook de anderen: oma, opa, papai en mama. Allemaal stonden ze voor mijn bed, staken sterretjes aan en zongen 'Happy birthday'.

Nu straalde ik ook, vooral toen papai

het hele lied nog eens in het Braziliaans zong. Heel even moest ik aan gisteravond denken en zocht ik in de ogen van papai naar sporen van zorgen, maar zijn ogen glommen als zwarte diamanten. Ook op opa's ronde gezicht verscheen een glimlach.

'Klaar voor de verjaardagssprongen?' vroeg mama, nadat ze me tien klapzoenen op mijn neus had gegeven. Natuurlijk was ik klaar! Met één beweging was ik uit bed en raasde ik naar de keuken. Verjaardagssprongen zijn bij ons een gewoonte die opa's opa een keer heeft verzonnen omdat ze geluk zouden brengen. Ik ben gék op verjaardagssprongen en tot nu toe hebben ze me ook altijd geluk gebracht. Dat gaat trouwens zo: als je jarig bent, ga je op een stoel staan en daarna spring je in een plastic badkuip met koud water, net zo vaak als het aantal jaren dat je bent geworden. Hoe meer water er wegspat, des te meer geluk krijg je in het komende jaar.

Het schijnt dat mijn opa's opa dit spel tot zijn laatste verjaardag heeft gespeeld, en het zal hem zeker geluk hebben gebracht, want hij is 99 jaar oud geworden en hij kon met zijn houten been nog de tango dansen.

Mijn opa moest afgelopen lente 52 keer van de stoel af springen en daarbij morste hij al het water.

De mensen onder ons bonkten woedend tegen het plafond omdat opa nou niet bepaald slank is. Maar in hetzelfde jaar werd De Parel van het Zuiden geopend, en dat bracht ons allemaal geluk. Tante Liesbeth laat maar weinig water opspatten, maar ze is dan ook pas tweeënhalf, en ze heeft nog niet zo veel geluk nodig.

Maar als je tien bent, heb je heel veel geluk nodig, en daarom deed ik ook heel goed mijn best bij het springen. Mijn familie riep: 'Eenmaal geluk voor Lola! Tweemaal geluk voor Lola...' Maar toen, bij de derde sprong, kwam ik per ongeluk met mijn voet op de rand van de bak terecht. Papai hield me vast, maar de bak kiepte omver. Al het water klotste over de keukenvloer.

'Brengt dat nu geluk of ongeluk?' vroeg ik ongerust.

'Natuurlijk brengt dat geluk, Cocada,' zei papai, en hij zette de bak weer overeind. Ik sprong nog zeven keer, maar zonder water was het niet meer zo leuk, en op de een of andere manier had ik een raar gevoel in mijn buik.

Pas toen mama mij naar de verjaardagstafel leidde, begon mijn hoofdhuid weer te jeuken, want nu kwam het mooiste. Cadeaus! Net toen ik me daarop wilde storten ging de bel. Tien keer achter elkaar.

'Dat is FLO!' riep ik, en ik stormde op de deur af.

Mijn beste vriendin kwam de trap op rennen en drukte me iets heel moois in mijn handen: een houten staaf omwikkeld met groen crêpepapier waarop een bal van aluminiumfolie stak, die zo groot was als een voetbal. Uit die bal staken allemaal tandenstokers, als de stekels van een egel. Het waren er minstens honderd, en op de punten zaten stukjes Hubba Bubba-kauwgum met colasmaak. Maar op eentje zat een heel klein lucifersdoosje. Daar zat een oorring in, met een heel klein glittersteentje.

'Waar is de andere?' vroeg ik.

Flo tikte grijnzend op haar oor. 'Die heb ik. Ik dacht dat we vriendschapsgaatjes in onze oren konden laten prikken. Of durf je dat niet?'

'Wat denk je? Natuurlijk durf ik dat!' riep ik, terwijl ik me liet omhelzen door Penelope, die nu ook boven was aangekomen.

Flo liep door de gang. 'Is het cadeautjes uitpakken al voorbij?'

Ik schudde mijn hoofd en trok Flo de huiskamer binnen, waar ik met chocolademelk en taart erbij mijn andere cadeaus uitpakte.

Van Penelope kreeg ik een cd met hits van over de hele wereld. Opa gaf me de computergame 'Agent Vos' en van oma kreeg ik boeken. Ze heetten *Emil en*

de detective, Whisper, een huis vol geruchten en *De geheime wereld van de spionnen.*

Mijn andere oma, Elizabetta, en mijn zeven tantes uit Brazilië hadden verjaardagskaarten gestuurd en tante Liesbeth had een tekening voor me gemaakt van een knalrode cirkel met wilde gele strepen.

'Ibsel teken Ola's jadagtaat,' zei ze trots, en ik verzekerde haar dat dit de mooiste verjaardagstaart van de hele wereld was.

Van mama en papai kreeg ik een tegoedbon voor een nieuwe jas en twee walkietalkies, die bijna helemaal boven aan mijn verlanglijst hadden gestaan. Het allermooiste kwam op het laatst: een kartonnen doosje waar mama een gele vogel op had geschilderd. Hij vloog uit een geopende kooi de lucht in.

'De weg naar de vrijheid,' zei mama glimlachend. Papai kreeg vochtige ogen, zoals altijd als hij ontroerd is, en ik voelde allemaal kleine kriebeltjes op mijn hoofdhuid. In het doosje zaten een huissleutel, een plattegrond van Hamburg, een plattegrond van de metro, twee bioscoopbonnen en 20 euro verjaardagsgeld.

'Betekent dat...' Flo fronste haar voorhoofd en ik stak trots mijn borst naar voren. JA! Dat betekende dat ik nu mijn eigen sleutel had, alleen met de metro mocht reizen en naar de bioscoop kon gaan...

kortom, ik was zo vrij als je op je tiende moet zijn.

'Hé! En ik dan?' Flo trok Penelope aan haar leren jasje. 'Ik ben tenslotte bijna elf!'

Dat klopte niet helemaal. Flo was maar drie maanden ouder dan ik, en Penelope knipoogde naar haar. 'Voor jou geldt hetzelfde. Maar dan moeten jullie je aan je afspraken houden, niet naar gevaarlijke plekken gaan en ons altijd vertellen waar je bent.'

Flo kneep in mijn hand en opeens leek het wel alsof we allebei jarig waren.

Ik zou pas de zaterdag voordat we weer naar school moesten een feestje geven, samen met Frederike uit mijn klas, die ook in de vakantie jarig was. Haar vader had gezegd dat we het bij hem konden vieren, en Frederike had ons verteld dat hij een enorm landhuis had, met dieren – en een schuur waarin we konden slapen!

Daar verheugde ik me natuurlijk heel erg op, maar ik vond het ook heel fijn om op mijn echte verjaardag de mensen om mij heen te hebben die ik het liefst vond.

De Parel van het Zuiden ging vandaag pas om zes uur open, zodat we de dag met elkaar konden doorbrengen bij de rivier de Elbe. Papai voetbalde met ons, Flo en ik klommen in bomen, praatten in ge-

heimagententaal door mijn walkietalkies, speelden lippenknijpen met opa, lazen in mijn nieuwe spionnenboek, grilden stokbrood en spekkies met tante Liesbeth en lieten het warme najaarszonnetje op ons schijnen. Kon het leven als tienjarige beter beginnen?

DE BRULAAP EN DE UITSLOVER

'Voordat we gaan eten moet ik Harms nog halen,' zei Flo toen we om halfzes onze spullen bij elkaar pakten. Harms is de hamster van Flo, en hij was net hersteld van een gemene hamsterhoest. Logisch dat Flo hem niet lang alleen wilde laten.

In de straat van Flo werd vandaag een straatfeest gevierd en Penelope betaalde bij een schminkkraam voor drie personen. Flo werd een zwarte glamourkat, ik een spinnenvrouw en tante Liesbeth, die met ons was meegekomen, liet een doodshoofd schminken.

Nu ontbrak alleen nog het verjaardagseten in De Parel van het Zuiden. Ik had *feijoada* besteld bij Dwerg. Dwerg is onze kok en feijoada is een Braziliaans gerecht met bonen. Ik ben gék op bonen, vooral omdat papai en ik daarna altijd een wild schetenconcert opvoeren. We doen dan wie het

hardst kan knetteren, totdat mama haar neus en ogen dichtknijpt en om genade smeekt.

Maar toen we in De Parel van het Zuiden kwamen, was Dwerg helemaal van streek. In plaats van me met mijn verjaardag te feliciteren, zwaaide hij wild met zijn armen door de lucht.

'Mohammed gevallen! Uitgegleden bij afwassen, nu in ziekenhuis,' ratelde hij.

O nee! Mohammed is onze hulpkok. Flo en ik noemen hem stiekem Berg omdat hij er naast de kleine, dunne Dwerg (die eigenlijk Emilio heet) uitziet als een enorme berg. Maar Berg is de aardigste hulpkok op de hele wereld, en ik vond het heel erg dat hij nu in het ziekenhuis lag. Dwerg had alles alleen moeten voorbereiden, het eten voor het restaurant en mijn feijoada. Die had hij toch nog gemaakt, hoewel het vandaag niet op de menukaart stond.

Terwijl Flo en ik mijn nieuwe agentengame uitprobeerden op de computer in het kantoor, dekte mama de verjaardagstafel. De feijoada smaakte ontzettend goed en papai en ik begonnen daarna tegelijk met knetteren. Tante Liesbeth lachte, maar begon daarna te huilen omdat oma haar verbood om met bonen naar Penelope te gooien. Je moet weten dat mijn tante niets liever doet dan met eten gooien, maar dat mag ze alleen met druiven.

'Ik geloof dat het tijd wordt om naar bed te gaan,' zei oma, toen tante Liesbeth met haar ene handje in haar bord met bonen sloeg en met het andere oma een plukje rood haar uittrok. Mijn tante kan best driftig worden en ik vind het heel knap dat oma zo veel geduld met haar jongste dochter heeft.

Mama reed ook mee naar huis, omdat ze de volgende dag ochtenddienst had. Flo en ik wilden nog blijven.

'Dan moeten jullie muisstil zijn als je thuiskomt,' zei mama. Flo mocht die nacht namelijk bij mij slapen.

Ik zwaaide met mijn nieuwe huissleutel. 'Natuurlijk zijn we stil. En bedankt voor de fijne dag.'

Toen draaide ik mijn nieuwe verjaardags-cd en danste met Flo op ons restaurantpodium op het lied 'Cho-co-la-te', totdat de eerste gasten kwamen en we de muziek zachter moesten zetten. Papai stond al achter de bar, opa sorteerde in het kantoor de rekeningen en Penelope bediende.

Hoewel het zaterdag was, kwamen er weer niet veel mensen, en twee daarvan waren ook nog eens erg onvriendelijk. Een oudere dame klopte voortdurend met haar stok op de grond als Penelope niet snel genoeg kwam aanlopen, en een man met een kaal hoofd en een getatoeëerd hart op zijn arm

hoorde ik tegen Penelope mopperen: 'Doe alsjeblieft effe je huiswerk, meisje. Dit kan echt niet!'

'Is die kerel gek of zo?' vroeg Flo, die een paar rijstkorrels in het kooitje van hamster Harms legde. 'Waarom zou jij je huiswerk moeten maken, is dit soms een school? Wat denkt hij wel?'

Penelope draaide met haar ogen. 'Ik ken een gerecht op de kaart niet en moet het even in de keuken navragen.' Ze liep naar Dwerg, kwam meteen daarna terug en met een vriendelijke glimlach deed ze een stapje opzij toen de getatoeëerde kaalkop haar arm wilde vastpakken.

'Meisje, stel je toch niet zo aan!' mopperde de kaalkop achter haar.

Papai kwam al achter de bar vandaan, maar Penelope maakte een afwerend gebaar. 'Laat maar, die is ongevaarlijk,' zei ze, en ik vond het knap dat ze zo rustig bleef. De kaalkop bestelde het ene glas bier na het andere, en Penelope wist kennelijk precies hoe ze hem moest aanpakken. Toen de kaalkop betaalde kreeg ze vijf euro fooi en bij het weggaan gaf hij haar een handkus in de lucht.

Maar bij de derde gast verloor Penelope dan toch haar geduld. Het was weer een man die alleen aan een tafeltje zat. Hij had bruin haar tot op zijn schouders, lichtgroene ogen en een stoppelbaard. Eigen-

lijk zag hij er best goed uit, maar hij was net iets te cool, wat ik ook niet leuk vind bij sommige jongens. Dat kwam door zijn glimlach. Hij keek om zich heen met zo'n ik-ben-cooler-dan-jullie-allemaal-bij-elkaar-lachje.

'Uitslover,' fluisterde Flo in mijn oor en ik moest giechelen. We stonden achter de bar, spoelden de glazen en bewogen onze voeten op de maat van 'Cho-co-late', dat nu weer op stond. Vanuit onze ooghoeken bekeken we de nieuwe gast.

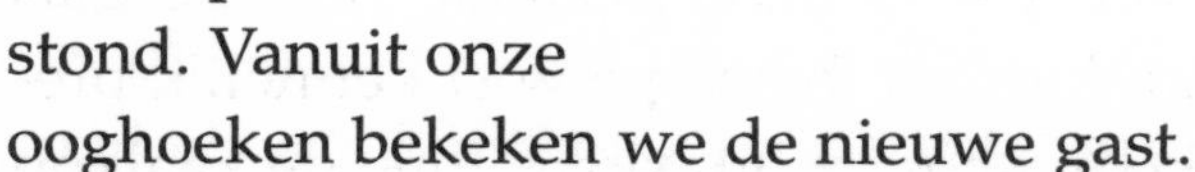

Hij zeurde voortdurend. Eerst bladerde hij eindeloos door de menukaart en hij klaagde bij Penelope over twee spelfouten in de drankjes. Hij liet zijn visgerecht twee keer naar de keuken terugbrengen en toen was hij weer niet tevreden over de wijn, of eigenlijk over de *temperatuur* van de wijn. Hallo? De

temperatúúr van de wijn? Zoiets had ik nog nooit gehoord.

Penelope kennelijk ook niet. 'Die meneer wil zijn chardonnay vijf graden koeler,' zei ze zuchtend toen ze bij de bar aankwam. Flo en ik begrepen daar niets van. Papai maakte een nieuwe fles open, maar kort daarna kwam Penelope ook daarmee terug.

'Hij moet nog drie graden koeler,' siste ze, terwijl er vuur uit haar blauwe ogen spuwde. 'Bovendien vindt hij onze muziek niet mooi. Ik moest je vragen of we hier een tingeltangelclub hebben of een Braziliaans restaurant.'

Flo hapte naar adem en ik was die uitslover het liefst aangevlogen. *Tingeltangelclub*? Dat was mijn verjaardags-cd waarover die rotkerel klaagde! Maar papai zette meteen een Braziliaanse cd met rustige liedjes op. Daarna ging hij naar de man toe om zich te verontschuldigen voor de muziek en hem ervan te verzekeren dat hij tevreden zou zijn met de andere wijn. Papai zegt altijd dat de klant koning is, en dan moet je vriendelijk blijven, wat er ook gebeurt.

Maar de uitslover was nog steeds niet tevreden en langzaam leek Penelope haar geduld te verliezen. Toen ze voor de derde keer bij de bar kwam, klonk haar stem net als een blazende poes. 'Er zit kurk in

de wijn volgens meneer, en nu is hij drieënhalve graad te warm.' Penelope ademde met een scherp geluid in en ging met haar tong over haar lippen.

'Alarmfase rood,' fluisterde Flo in mijn oor. 'Als Penelope dat doet, staat ze op het punt om uit haar vel te springen. Met brulapen kan ze goed omgaan, maar met dit soort figuren heeft ze problemen.'

Ik kende Penelope al best lang en kon me niet voorstellen dat ze uit haar vel zou springen. Ze was altijd zo vrolijk.

Maar ik zou het snel te zien krijgen.

Papai had de vierde fles wijn al opengemaakt en wilde die persoonlijk naar de uitslover brengen, toen er uit de keuken een hels gerinkel kwam.

'MERDA!' schreeuwde Dwerg. 'Merda' is Braziliaans en betekent shit. Het was een lawaai alsof er duizend borden uit het rek waren gevallen.

Papai stormde de keuken in. Flo vloog erachteraan, maar ik was op dat moment vooral nieuwsgierig naar wat de uitslover zou zeggen over zijn vierde fles wijn.

Toen Penelope naar hem toe liep, bekeek hij haar met zijn ik-ben-cooler-dan-jullie-allemaal-bij-elkaar-lachje. Van top tot teen, alsof ze een etalagepop was. 'Vier graden,' hoorde ik hem zeggen. Hij praatte tamelijk hard, alsof hij wilde dat ook de andere

mensen in het restaurant hem konden horen. 'Nu is hij vier graden te warm. Zou het kunnen dat u het verkeerde beroep hebt gekozen?'

Mijn mond viel open. Penelope kwam terug naar de bar met de vierde fles in haar hand. Ze was zo vreemd rustig dat ik er bang van werd. Met een moordlustige glimlach pakte de moeder van Flo een glas, vulde het tot aan de rand met ijsblokjes en liep terug naar de tafel. Een seconde later sprong de uitslover met een kreet op van zijn stoel.

Ik moest keihard lachen. Penelope had het glas met de ijsblokjes in zijn schoot omgekieperd en met ijzige vriendelijkheid gezegd: 'Even voor de duidelijkheid, vindt u *deze* temperatuur wel aangenaam?'

'Bent u gek geworden?' schreeuwde de uitslover.

Papai en Flo kwamen uit de keuken aangesneld. Penelope kruiste glimlachend haar armen voor haar borst.

Maar toen begon iemand anders te schreeuwen. De oudere dame met de stok. 'RATTEN!' schreeuwde ze. 'RATTEN IN HET RESTAURANT!'

Flo en ik bleven van schrik stokstijf staan achter

de bar en staarden naar het kleine bruine diertje dat over de vloer van het restaurant flitste. Het was Harms, de hamster van Flo. Hij moest uit zijn kooi zijn ontsnapt en in het kaarslicht leek het inderdaad net een rat. Ik had nooit geweten dat hamsters zo snel konden zijn! Als de bliksem suisde Harms langs het tafeltje van de oudere dame. Die was op haar stoel geklommen en zwaaide krijsend met haar stok door de lucht, terwijl Harms uitgerekend naar de tafel van de uitslover rende. Daar bleef hij zitten en poepte de vloer onder.

De uitslover legde woedend een bankbiljet op de tafel en liep het restaurant uit.

Op Penelope's gezicht verscheen een triomfantelijke glimlach.

'Zo, die heb ik even mooi op zijn nummer gezet,' zei ze.

Papai grijnsde onzeker.

Ondertussen was ook opa uit het kantoor gekomen. Hij stond bij de bar en staarde naar de weglopende man. Zijn gezicht was bleker dan marmer. 'Ja, dat heb je,' zei hij zo zacht dat ik hem nauwelijks kon verstaan. 'En nu zal die man ons op ons nummer zetten. Hij is restauranttester en werkt voor de *Scene*, het grootste tijdschrift van Hamburg. Ik heb hem vorige week gevraagd om naar De Parel

van het Zuiden te komen zodat hij een artikel over ons zou schrijven. En wat jij net gedaan hebt, Penelope, is ons doodvonnis ondertekenen.'

Penelope deed een stap terug. Ze schudde haar hoofd, heel kort en heel snel, en opeens was ik bang dat ze zou omvallen. Maar er kwam alleen een diepe snik uit haar keel. Toen rende ze naar de deur.

'Penelope!' riep papai. 'Penelope, blijf hier!'

Maar Penelope was al weg.

En Flo pakte haar hamster en rende achter haar aan.

IK STEL EEN DOMME VRAAG EN FLO HEEFT EEN KRANKZINNIG IDEE

Een naheffing van de belasting betekent dat je geld moet betalen aan de regering. Kredietaaien zijn mensen die rijk worden doordat andere mensen geen geld hebben, maar je kunt het ook zeggen als scheldwoord voor mensen die bij een bank werken. Reserves zijn spaargeld. En een dichtgedraaide geldkraan betekent dat de bank je geen geld meer leent.

Dit probeerde mama mij allemaal uit te leggen toen ze een uur later aan mijn bed zat. Opa had me naar huis gebracht, en natuurlijk was ik helemaal niet muisstil geweest. Ik had ontzettend moeten huilen en had er toen alles uitgegooid: wat er in het restaurant was gebeurd en het gesprek in de keuken dat ik 's nachts had opgevangen.

Maar ik werd alleen maar duizelig van mama's uitleg en begreep helemaal niets meer. Toen zei

mama zuchtend: 'Lolamuis, het is helaas verschrikkelijk simpel. We hebben geen geld meer en het restaurant loopt niet goed. Opa had zijn hoop gevestigd op de restauranttester, die een mooi artikel over De Parel van het Zuiden had moeten schrijven. Maar dat schijnt nogal mislukt te zijn.'

Ik verfrommelde mijn zakdoek. 'En waarom heeft die rotkerel dan niet gezegd wie hij was?'

Mama glimlachte bedroefd. 'Omdat restauranttesters net doen alsof ze gewone klanten zijn. Opa herkende hem, maar jammer genoeg was het toen al te laat.'

'Gewone klanten,' brieste ik. 'Die man was nog akeliger dan mijn rekenleraar. En wat gaat hij nu in zijn artikel schrijven? Dat De Parel van het Zuiden het slechtste restaurant van Hamburg is?'

Mama haalde haar schouders op. 'In elk geval zal hij niets goeds schrijven.'

'En wat betekent dat voor Penelope?' vroeg ik zacht.

Mama zuchtte nog eens. 'Lola, breek je hoofd maar niet over zulke dingen. Laat dat maar over aan papai en opa. Die weten vast wel wat er moet gebeuren.'

Maar ik wilde het toch weten. 'Gooien ze Penelope er nu uit?' bleef ik aandringen.

'Vast niet,' zei mama. Maar haar stem klonk heel erg schor en toen ze me tegen zich aan drukte, bonsde haar hart als een gek.

Toen ik later mijn ogen dichtdeed om als Jane Fond De Parel van het Zuiden te redden, zag ik steeds Penelope voor me. Zoals ze daar gestaan had, en hoe ze het restaurant uit was gestormd. Toen moest ik weer huilen.

De volgende dag waren mijn ogen helemaal opgezwollen. Maar Penelope zag er nog slechter uit. Ik was naar haar en Flo toe gegaan. Met de metro. Mijn eerste rit alleen. Die had ik me heel anders voorgesteld.

Penelope deed de deur open en glimlachte. Maar alleen met haar mond. Haar ogen waren kleine spleetjes met grote wallen eronder.

'Hallo,' piepte ik.

'Hallo,' zei Penelope. 'Het spijt me zo ontzettend dat ik je verjaardag heb verpest.'

'Dat heb je niet,' verzekerde ik haar. 'Is Flo al op?'

Penelope knikte en toen we met z'n drieën op Flo's hoogslaper gingen zitten, voelde ik me alsof ik op een begrafenis was. Ik had Penelope nog nooit zo bedroefd gezien. Om eerlijk te zijn had ik sowieso nog nooit iemand zo triest gezien. Ik werd er bang van, omdat ik niet wist wat ik moest doen. We zwegen tot het pijn deed.

'We zouden die tester nog eens kunnen bellen,' zei ik ten slotte. 'En hem vragen om dat artikel niet te schrijven. Of misschien kan hij nog een keer komen.'

'Dat heeft je opa al gedaan,' zei Penelope. 'Dat heeft hij me door de telefoon verteld.'

'En?' riepen Flo en ik tegelijk.

Penelope keek ons aan met een trieste blik. 'Die tester zegt dat we daar eerder aan hadden moeten denken. Eind november kunnen we zijn mening over De Parel van het Zuiden in de *Scene* lezen – net als miljoenen andere mensen in Hamburg.'

'Die vuile rotkerel!' riep Flo.

Penelope begroef haar gezicht in haar handen.

'Eigenlijk heeft die man nog gelijk ook. Ik heb het verkeerde beroep gekozen. Of in elk geval het verkeerde restaurant. Ik heb alles kapotgemaakt.'

'Mama!' riep Flo en ze trok Penelope's handen

weg van haar gezicht. 'Zeg dat nou niet. Je bent een geweldige serveerster en je zingt als een superster! Wat zou De Parel van het Zuiden zijn zonder jou?'

Ik knikte, maar Penelope's ogen vulden zich alweer met tranen. 'Beter af,' fluisterde ze. 'Zonder mij zijn ze beter af.'

Flo keek me hulpeloos aan en ik dacht aan wat opa had gezegd over dat doodvonnis en aan mijn laatste verjaardagswens. En toen moest ik opeens weer denken aan de man die Penelope een paar weken geleden een roos en een visitekaartje had gegeven. De man met de blonde staart en het vijfsterrenhotel.

'Dat ga je toch niet doen, hè?' flapte ik eruit. 'Dat met dat vijfsterrenhotel en die livemuziek, daar begin je toch niet aan, hè?'

Penelope keek me niet-begrijpend aan, maar meteen daarna sloeg ze zichzelf op haar voorhoofd en klom ze van de hoogslaper naar beneden. 'Dat kaartje,' mompelde ze. 'Verdorie, ik was die vent helemaal vergeten. Ik weet niet eens of ik zijn kaartje nog wel heb.' Met die woorden snelde ze de kamer uit.

Flo gaf me zo'n harde stomp tegen mijn schouder dat ik bijna van de hoogslaper viel. 'Ben je gek of zo?' zei ze sissend. 'Breng mijn moeder niet op

een idee. Weet je niet waar dat hotel van die kerel staat?'

'Waar dan?' Ik wreef over mijn schouder. *Au*, wat kon Flo hard slaan!

'In Berlijn,' zei Flo. 'Wil je ons allebei kwijt?'

Opeens was ik zo van streek dat ik niets meer kon zeggen. Flo had gelijk, nu wist ik het weer. O nee! Hoe had ik zo stom kunnen zijn? Op dat kaartje had Berlijn gestaan. Als Penelope hem belde... Verschrikkelijk!

'Misschien heeft ze dat kaartje niet meer,' zei ik zacht. We slopen naar de deur en gluurden de kamer in, waar Penelope in een la aan het graven was. Toen ze zich naar ons omdraaide, trok Flo me aan mijn arm terug. In haar kamer zat hamster Harms te hoesten. Hij zat in Flo's apothekerskast en toen we zijn bruine kopje zagen, moesten we opeens lachen.

'Ratten in het restaurant!' zei Flo proestend. 'Die was echt goed.'

'Hopelijk schrijft die stomme tester dat niet ook in zijn artikel,' zei ik terwijl ik mijn pen opraapte die uit mijn tas was gevallen. Hij was zwart met een stuk wit plakband erop. Daarop had ik met rode letters geschreven: JANE FOND. SPIONAGEPEN.

'Als ik echt Jane Fond was,' mompelde ik, 'dan

zou ik die uitslover bespioneren en hem samen met zijn rotartikel naar de maan schieten.'

Flo pakte mijn pen af. Ze draaide hem om in haar hand, kneep haar ogen tot spleetjes en stompte tegen mijn andere schouder. 'Lola, dat is het!'

Ze boog zich naar mijn oor toe en fluisterde zo zacht alsof zelfs Harms ons niet mocht horen.

Ik staarde mijn vriendin aan. 'Je bent gek,' zei ik. 'Dat is een krankzinnig idee.'

'Misschien,' zei Flo, en haar blauwe ogen glommen. 'Maar misschien is het ook een geniaal idee.'

JANE FOND EN MATA HARI

'Agente XXL,' zei Flo terwijl ze zich in Penelope's leren jasje omdraaide voor de spiegel. 'Als jij Jane Fond bent, heet ik agente XXL.'

'Waarom niet agente Vos?' stelde ik voor.

'Of madame Peng,' zei Flo.

'Of Spy Girl.'

'Of Mata Hari.' Flo stapte in Penelope's rode laarzen met hoge hakken en vormde een pistool met haar hand.

'Mata Hari?' Ik fronste mijn voorhoofd. 'Wie is dat?'

Flo richtte haar pistoolhand op haar spiegelbeeld. 'Mata Hari was een wereldberoemde spionne. Ze staat ook in jouw spionnenboek. Haar echte naam was Margaretha Geertruida Zelle. Ze zou zelfs naakt hebben gedanst.'

Ik giechelde en trok Penelope's boa uit de kle-

renkast. 'Ik hoop dat jij dat niet van plan bent.'

'Nee,' zei Flo, en ze deed zwarte lipstick op. 'Ik ben van plan om achter die uitslover aan te gaan en zijn artikel te jatten.'

Ik wikkelde de boa om mijn nek en zuchtte.

Het was zondagmiddag.

Penelope was naar De Parel van het Zuiden gegaan om met papai en opa te praten. Wij stonden in Penelope's slaapkamer en Flo's idee had zich als een vishaakje in mijn hoofd vastgezet. Op al mijn bezwaren had mijn vriendin een antwoord. Nou ja, op bijna allemaal dan.

'We vragen je opa hoe hij heet en dan zoeken we hem op in het telefoonboek,' zei Flo toen ik wilde weten hoe we de uitslover eigenlijk zouden opsporen. We konden opa tenslotte niet vragen om zijn telefoonnummer, dat zou veel te veel opvallen.

'En hoe komen we erachter waar hij werkt?'

'We bespioneren hem bij zijn huisdeur en volgen hem dan naar zijn kantoor.'

'En hoe krijgen we dan het artikel?'

'We gaan 's nachts inbreken in zijn kantoor en wissen het ding van zijn computer.'

Tja, en dat was nou echt iets wat niet kon. Ik ben gewend dat Flo krankzinnige ideeën heeft, maar dit was echt heel krankzinnig.

'We kunnen toch niet 's nachts inbreken in een kantoor, hoe stel je je dat voor? En hoe weet je wanneer die uitslover zijn artikel gaat schrijven? Misschien heeft hij het allang naar de krant gestuurd. Of...'

'Lola,' onderbrak Flo me, terwijl ze netkousen over haar handen trok. 'We moeten die problemen één voor één oplossen, begrepen? Denk maar aan wat James Bond in zijn films allemaal voor elkaar heeft gekregen. Hij heeft *oorlogen* voorkomen. Daarmee vergeleken is onze missie kinderspel.'

Ik trok de boa van mijn nek. 'James Bond is een filmspion, Flo. En wij zijn twee kinderen in het echte leven. Dat is nogal een verschil.'

Toen stampte Flo met haar voet zodat de vloer kraakte.

'Wil jij dat het artikel verschijnt? In het grootste

tijdschrift van Hamburg? Wil jij dat Penelope haar baan verliest? Wil jij dat De Parel van het Zuiden moet sluiten?'

Ik schudde mijn hoofd.

'En heb je soms een beter idee?'

Ik schudde mijn hoofd.

'Nou dan.' Flo zette Penelope's rode hoed met veren op. 'Hou dan op met je hoofd te schudden en zeg ja!'

'Ik moet er nog eens over nadenken,' zei ik, en toen ging de voordeur open.

'Ik ben terug,' riep Penelope. Haar stem klonk een beetje beter. Jammer genoeg maar een heel klein beetje.

WIJ ZOEKEN EN PENELOPE VINDT

Waarover Penelope precies met papai en opa had gepraat, dat kregen we niet te horen. Penelope zei alleen maar: 'Dat komt nog wel,' en de volgende dag zei papai bij het ontbijt dat Penelope voorlopig weer gewoon ging werken.

'*Voorlopig*?' Ik liet mijn lepel in de cornflakes vallen. 'Wat betekent dat?'

'Dat betekent dat je nu eerst maar eens van je vakantie moet genieten, Cocada!' Papai legde zijn hand op mijn arm, zijn warme papaihand, die altijd een beetje naar mango-olie ruikt. 'We zullen Penelope heus niet van vandaag op morgen op straat zetten, daar hoef je je echt geen zorgen over te maken.'

Maar ik maakte me wel zorgen. 'Niet van vandaag op morgen?' riep ik terwijl ik mijn arm terugtrok. 'Prima, misschien dan van morgen op over-

morgen?' Er brandden alweer tranen in mijn ogen, ook omdat ik nu weer moest denken aan dat rottige kaartje van het vijfsterrenhotel in Berlijn. Penelope had het nog niet gevonden, maar dat betekende natuurlijk niet dat ze was gestopt met zoeken.

'JIJ hebt Penelope een baan aangeboden!' riep ik, terwijl ik in mijn ogen wreef. 'JIJ hebt gezegd dat ze anders in die stinkende vistent moest blijven werken. En nu moet JIJ ook voor haar zorgen, anders, anders...' Verder kwam ik niet.

'Cocada...' Papai sloot zijn handen om zijn kopje koffie en zag er opeens ontzettend moe uit. 'Ik zou Penelope voor geen goud willen missen, dat weet je heel goed. Maar we hebben geld nodig, en daarvoor moeten we meer klanten krijgen. Daarom had opa ook die restauranttester gebeld. En nu...' Papai kon niet meer verder praten en ik schaamde me dat ik tegen hem had geschreeuwd.

'En als je nou eens een andere restauranttester vraagt?' bedacht ik opeens. 'We kunnen Olaf Wildenhaus vragen!' Ik werd helemaal zenuwachtig omdat ik

daar nog niet aan had gedacht. Olaf Wildenhaus was krantenfotograaf en de stiefvader van Frederike. Samen met hem hadden we onze schoolkrant gemaakt. En dan was er natuurlijk ook nog Bernd Lettenewitsch, die was krantenjournalist en zou ook iets over De Parel van het Zuiden kunnen schrijven.

Maar papai remde mijn enthousiasme af. 'Opa heeft ze allebei al gesproken, Cocada. Restaurants zijn niet hun vakgebied en ze kunnen niets voor ons doen. En de andere restauranttesters hebben al eerder nee gezegd. Ze hebben de rest van het jaar geen tijd meer.' Papai schoof zijn koffiekopje weg. 'Vergeet het, Cocada. Er valt niets meer te redden.'

Ik onderdrukte een snik. Toen rende ik naar de telefoon. 'Ik heb nagedacht,' zei ik tegen Flo. 'Ik ga nu naar opa en vraag hem de naam van die uitslover.'

'Maar zorg dat je het onopvallend doet, zodat hij niet vermoedt wat we van plan zijn,' zei Flo.

De uitslover heette Jeff Brücke. Hij werkte voor verschillende kranten en was, zoals opa zei, beroemd-berucht. Hij had al veel restaurants succes bezorgd met goede artikelen, vooral als ze in de *Scene* stonden. Maar hij had er ook voor gezorgd dat restaurants moesten sluiten, omdat er na zijn artikel soms geen klanten meer kwamen.

'Geen wonder dat we die kerel niet kunnen vin-

den,' bromde Flo, nadat we drie uur lang het telefoonboek van voren naar achteren hadden doorzocht. 'Hij heeft vast een geheim adres om zich tegen zijn vijanden te beschermen. Maar wij geven het niet op, hè Jane?'

Vanaf het moment waarop we hadden besloten om onze missie uit te voeren, noemde Flo mij Jane. Ik noemde haar Mata. Met cola proostten we op ons toekomstige succes. Toen onze glazen rinkelend op elkaar botsten, begon mijn hoofdhuid waanzinnig te jeuken. Het was een krankzinnig idee, maar het was alles wat we hadden. En we konden niet gaan wachten op een wonder.

'We zouden Olaf Wildenhaus eens kunnen bellen,' dacht ik hardop, toen we het telefoonboek opzij hadden gelegd. 'Hij kon opa niet helpen met een artikel, maar misschien weet hij iets over de uitslover.'

Flo's ogen glommen. 'Jane, je bent geniaal!' zei ze, en ze zocht zijn naam op in het telefoonboek. Maar we kregen alleen het antwoordapparaat van Olaf Wildenhaus te horen.

'U spreekt met de elektronische Olaf,' klonk het. 'De echte Olaf is op 8 oktober weer te bereiken. U kunt na de toon een bericht inspreken. *Piep*.'

'Toch niet zo geniaal,' zei ik toen Flo de verbin-

ding verbrak. 'Hij is vast op vakantie met Frederike. Wat nu?'

Flo kneep in haar oorlelletje. 'Maar natuurlijk! We zoeken het adres in De Parel van het Zuiden.'

Ik sloeg op mijn voorhoofd. Ja, natuurlijk! Nu we de naam van de uitslover wisten, konden we het adres gewoon in het kantoor opzoeken. Voordat opa hem had gebeld, moest hij natuurlijk eerst het nummer hebben geweten. En het adressenboek lag altijd in het kantoor.

Dus gingen we 's middags met Penelope naar De Parel van het Zuiden, waar papai en opa al met Dwerg aan de bar zaten. Berg lag nog steeds in het ziekenhuis. Hij had zijn been gebroken. Dwerg zag er erg moe uit.

'We kunnen ons helaas geen vervanger veroorloven,' hoorde ik papai zeggen. 'Maar Felix en ik helpen waar we kunnen, en Penelope is er ook nog steeds.'

Nog steeds, dacht ik, en ik voelde een steen op mijn hart. Ik riep hard: 'We spelen nog even wat "Agent Vos" op de computer, oké?'

Dwerg verdween de keuken in. Opa knikte afwezig terwijl papai op hem inpraatte. 'We kunnen gaan adverteren. Of goede bands boeken, of een feest...'

'Vergeet het maar, Fabio,' viel opa hem in de rede. 'Voor al die dingen is geld nodig. En dat hebben we niet.'

Papai streek door zijn haren. Penelope stond achter de bar en schreef het menu van de dag op het bord.

We gingen snel het kantoor in, deden de deur achter ons dicht en stortten ons op het adressenboek. JEFF BRÜCKE, RESTAURANTTESTER. Het was de derde naam onder de B.

'Super,' juichte Flo.

'Helemaal niet super,' klaagde ik. 'Hier staat alleen een mobiel nummer.'

'Nou en?'

'Nou en, nou en.' Ik rolde met mijn ogen. 'Wat hebben we aan zijn mobiele nummer? Moeten we hem soms bellen en naar zijn adres vragen?'

'Precies,' zei Flo. En voordat ik iets kon tegenwerpen toetste ze het nummer in.

'Hallo, meneer Brücke?' Flo kneep haar neus dicht en zetten een sjieke damesstem op. Ik hield mijn hand voor mijn mond om niet in lachen uit te barsten.

'Ja, dag meneer Brücke. U spreekt met Bloemenhandel Rosenschein. We willen graag drie kilo rozen afleveren bij uw kantoor. Mag ik alstublieft uw adres weten?'

Ik hield mijn adem in. Flo ook. Toen legde ze de telefoon neer.

'Wat zei hij?'

Flo zuchtte. 'Dat we die domme geintjes maar met iemand anders moeten uithalen.'

'Tja,' zei ik. 'Dan moeten we maar de restaurants gaan aflopen. Als restauranttester gaat die uitslover zeker drie keer per dag ergens eten.'

Flo wees naar haar voorhoofd. 'Er zijn wel duizend restaurants in Hamburg!'

'Nou en? We hebben toch vakantie? En heb jij misschien een beter idee?'

Dit keer was het Flo die haar hoofd schudde.

Thuis vertelden we dat we de komende dagen Hamburg wilden verkennen. Dat was niet eens helemaal gelogen.

Toch was mama wantrouwig. 'Hamburg verkennen?' vroeg ze met gefronst voorhoofd. 'Nou, ik weet het niet, hoor.'

'Mooi is dat!' zei ik kwaad. 'En waarom heb je me dan "De weg naar de vrijheid" gegeven?' Toen zuchtte mama en gaf ze ons toestemming om naar Eppendorf, Harvestehude en Winterhude te gaan. Dat zijn stadsdelen bij ons in de buurt die Flo en ik al kenden, maar gelukkig zijn daar ook veel restaurants.

In het begin was onze zoektocht best opwindend. We hadden onze walkietalkies meegenomen en op sommige straathoeken gingen we elk een andere kant uit. We keken naar binnen bij de restaurants en riepen elkaar op:

'Mata aan Jane – restaurant Abaton – de vijand is niet in zicht – over en sluiten.'

'Jane aan Mata – restaurant Hirsch – de vijand is niet in zicht – over en sluiten.'

'Mata aan Jane – restaurant Mama mia – wegens verbouwing gesloten – over en sluiten.'

'Jane aan Mata – restaurant Athena – de vijand is niet in zicht – maar die patat ziet er knapperig uit – zullen we wat gaan eten? – over en sluiten.'

Zo ging het elke middag, totdat oma ons donderdag vroeg om op tante Liesbeth te passen, omdat ze wat vroeger naar de boekhandel moest. Daar waren we bijna blij om.

'Ik denk dat je gelijk had,' zei ik somber tegen Flo. 'Zo vinden we de uitslover nooit. We moeten iets anders verzinnen.'

Flo knikte, maar haar ogen glommen allang niet meer. Het leek bijna alsof ze het wilde opgeven.

Daar stond tegenover dat Penelope wel vond wat ze had gezocht.

Toen we donderdagmiddag met tante Liesbeth

'raak de vloer niet' speelden en op tafels en stoelen klommen, slaakte Flo opeens een kreet. Ze stond op Penelope's bureau en stak een wit kaartje in de lucht dat naast de telefoon had gelegen. Op het kaartje stond met donkerrode letters: GRAND HOTEL BERLIJN, RONALD STUCK, RESTAURANTMANAGER.

Flo scheurde het kaartje in duizend stukjes.

'Pot,' zei tante Liesbeth lachend. 'O potmaak. Ibsel nippes hebbe!'

Flo liet de snippers op de blonde krullen van mijn tante regenen en grijnsde vastberaden.

'En als je moeder hem al heeft gebeld?' vroeg ik.

Daar had zelfs mijn vriendin geen antwoord op.

EEN GAATJE IN HET OOR EN MCDONALD'S

'S Nachts was ik Jane Fond en vond ik de restauranttester. Ik had een miljoen afluisterapparaatjes verstopt in de Hamburgse restaurants en die met onzichtbare snoertjes verbonden met mijn spionagepen. Al na minder dan een minuut lichtte mijn pen groen op en kreeg ik de boodschap: *Vijand gezien in het beste restaurant van Hamburg, 478, dakterras*. Ik stapte in mijn speciale helikopter en landde op het dakterras, waar de vijand al 800 flessen wijn had uitgeprobeerd en de serveerster snikkend op de grond lag.

'Probeert u deze eens,' zei ik, terwijl ik de vijand mijn heel speciale fles wijn onder de neus hield: 'IJsmannetje'. 'Deze heeft precies de juiste temperatuur voor iemand zoals u.'

De vijand nam een slok en zei: 'Niet slecht.' Ik knikte. Toen zei de vijand helemaal niets meer, om-

dat mijn speciale wijn begon te werken. De vijand begon te krimpen en werd steeds kouder, tot hij alleen nog maar een popperig mannetje van ijs was. Ik bestelde een glas glühwein en wierp de vijand erin. De glühwein gaf ik aan de serveerster en toen viel ik in slaap.

Toen ik wakker werd, was ik weer *ik* en vroeg ik me af waar we die kerel in de echte wereld in vredesnaam moesten zoeken.

Oma zegt altijd: 'Wie zoekt, zal vinden,' en in het geval van Penelope had ze daar helaas gelijk in. Flo durfde niet met haar moeder over dat kaartje te praten, en Penelope durfde kennelijk niet met Flo over de snippers te praten.

Toen Flo op vrijdagochtend bij me aanbelde, praatten we in het begin ook maar niet meer over de restauranttester. We hadden even een pauze nodig.

'Hoe zou je het vinden als we vandaag de stad in gingen om bij jou een gaatje in je oor te laten prikken?' zei Flo.

'Dat vind ik prima,' zei ik, hoewel ik daar eerlijk gezegd best wel een beetje bang voor was. Daarom vroeg ik mama of ze met ons meeging.

Mama had er wel zin in. 'Dan kunnen we gelijk ook een nieuwe jas voor je kopen,' zei ze.

We gingen eerst naar de H&M, waar ik een donkerrood ribfluwelen jack uitzocht met zilveren stervormige knopen. Dat paste bij mijn oorring. Eigenlijk had ik ook een nieuwe broek nodig, maar mama schudde haar hoofd.

'Daar hebben we niet genoeg geld voor,' zei ze.

In plaats daarvan kocht ik van mijn verjaardagsgeld een zwarte zonnebril en een rode pet, waarop een zilveren glittertien stond.

Flo had tien euro bij zich die ze had gekregen van haar oma. Daarvoor kocht ze een zwarte pet met een doodskop erop en een zilverkleurige zonnebril.

'Mijn hemel, jullie zijn helemaal niet meer te herkennen,' zei mama toen we weer buiten stonden. 'Vinden jullie die dingen echt mooi?'

Volwassenen stellen soms echt rare vragen. Als we die dingen niet mooi vonden, hadden we ze toch niet gekocht, of wel soms?

Nu ontbrak alleen nog het gaatje in mijn oor. Dat kon je bij de juwelier laten prikken. Toen ik met Flo de winkel binnen ging, begon mijn hoofdhuid hef-

tig te jeuken en toen de verkoopster naar me toe liep, werd ik helemaal flauw in mijn maag.

'Ik wil graag een gaatje in mijn oor,' piepte ik, en ik reikte haar mijn sterretje aan.

De verkoopster ontblootte haar tanden. Dat was vast bedoeld als een glimlach, maar ze had echt enorme tanden, als van een paard.

'Ga dan maar even zitten,' zei ze, en ze drukte me op een leren krukje. Meteen daarna hield ze een pistool voor mijn neus.

'OOAAHH!' schreeuwde ik. 'Wilt u me doodschieten?'

De verkoopster liet haar paardentanden weer zien. 'Daarmee schiet ik een gaatje in je oor,' zei ze. 'Maar je hoeft niet bang te zijn. Eén klein klikje en alles is voorbij.'

Ik drukte me tegen mama's borst. 'Ik geloof dat ik toch maar geen gaatje in mijn oor wil,' fluisterde ik.

'Kom op Lola, stel je niet zo aan,' zei Flo.

Mama hield mijn hand vast. 'Ik ken een verhaal over een jongen die een gaatje in zijn oor liet prikken met een roestige spijker,' zei ze. 'Díé had toch pijn, dat wil je niet weten. Hij werd met een oorlelletjesinfectie in het ziekenhuis opgenomen. Maar dit hier is totaal ongevaarlijk en doet niet half zo veel pijn als een inenting.'

Ik kreunde. Mama en haar verhalen! Maar ik had wel eens een inenting gehad en die had ik maar net overleefd. Dus hield ik mama's hand stevig vast en kneep ik mijn ogen dicht, zodat ik niet kon zien hoe de verkoopster in mijn oor schoot.

'Opgelet...' zei de verkoopster en ik voelde hoe mijn oorlelletje werd ingesloten tussen twee stukken metaal. 'Klaar... vooruit!'

Er klonk een *klik*, en er suisde iets in mijn oor. Een korte pijnscheut en toen was alles voorbij. Ik deed mijn ogen open.

'En?' vroeg de verkoopster. 'Hoe voel je je nu?'

Ik voelde me heel goed.

'Mijn naam is Fond,' zei ik tegen mijn spiegelbeeld. 'Jane Fond.'

Toen we de winkel uit liepen, besloot ik mama en Flo te trakteren op McDonald's.

'Dat kan helaas niet,' zei mama met een blik op haar horloge. 'Ik moet naar het ziekenhuis.'

'En als Flo en ik alleen gaan?' vroeg ik.

Daar had mama niets op tegen, en ik vond het ook leuk om met Flo alleen te eten. Flo bestelde een Filet-O-Fish, hoewel ze weet ik dat ik vislucht haat. Ik nam frietjes en Chicken McNuggets met kerriesaus. Daar dronken we een aardbeienmilkshake bij.

Ik ben gék op aardbeienmilkshakes, bijna net zo gek als op Hubba Bubba-kauwgum. Een kleine jongen met zwarte krullen, die met zijn vader en zijn oudere broer achter ons aan een tafeltje zat, hield er kennelijk ook wel van.

'MAAR IK WIL NOG EEN AARDBEIENMILKSHAKE!' schreeuwde hij uit volle borst. Zijn oudere broer kreunde. Hij was ongeveer even oud als ik. Hij had zwart haar en een smal gezicht met grote, groenbruine ogen. Toen hij merkte dat ik hem aankeek, glimlachte hij verlegen.

Oeps, wat was dat nou? Mijn hoofdhuid begon te jeuken en van schrik verslikte ik me in mijn milkshake.

'IK WIL, IK WIL, IK WIL,' ging de kleine jongen verder met schreeuwen. Hij was hooguit een jaar ouder dan tante Liesbeth, maar kon veel beter praten – en ook veel harder. Hij had ons nu de rug toegekeerd, net als zijn vader, die zijn hoofd schudde en zijn hand op het armpje van de kleine legde.

'JE BENT EEN STOMME PAPA,' krijste de kleine, terwijl hij het dienblad met een handbeweging van tafel veegde.

Beng. Er vielen frietjes, Big Macs en Chicken McNuggets op de vloer.

'Dat wordt heibel,' zei ik.

En dat was ook zo. Maar dat was niet de oorzaak van het feit dat mijn hart stilstond. Het kwam ook niet door de grote broer, die woedend opstond en naar buiten liep. Het kwam door de vader, die zijn jongste zoon bij de kraag pakte en hem langs ons naar de uitgang sleepte.

Hij zag ons helemaal niet, maar wij zagen hem wel.

De vader van de jongen was de restauranttester.

DE SPEICHERSTADT

De Speicherstadt is de grootste opslagplaats ter wereld. Hij ligt aan de haven van Hamburg, niet ver van ons restaurant en het huis van Flo. Achter de dikke muren van de pakhuizen liggen kostbaarheden uit de hele wereld: koffie, thee, cacao, tapijten en weet ik wat nog meer.

De Speicherstadt is onder andere zo beroemd omdat er films worden opgenomen. In een kindermisdaadserie wonen er bijvoorbeeld een paar kinderen. In werkelijkheid wonen er maar heel weinig mensen in de Speicherstadt. En tot die weinige mensen behoorde de restauranttester.

Flo en ik hadden hem gevolgd. Stil en stiekem als spionnen, en steeds met de nodige afstand. We waren na hem en zijn zoons in de metro gestapt en vanaf het perron waren we achter hem aangelopen. Eén keer hadden ze ons bijna ontdekt, maar toen

konden we ons nog net op tijd achter een reclamezuil verstoppen.

En nu stonden we voor ons einddoel. De restauranttester en zijn zoons waren verdwenen in een hoog gebouw dat meteen aan het kanaal lag. De kleine was ondertussen weer rustig geworden, maar ik was nu zo zenuwachtig dat ik bang was dat mijn hart uit mijn mond zou floepen en op straat zou vallen.

JEFF BRÜCKE. Met grote dikke letters stond de naam van de uitslover op het naambord. Was dat niet ongelofelijk? Ja, het was ongelofelijk maar het was waar. Het was geweldig en het was echt waar.

'En nu?' vroeg ik aan Flo, toen we een beetje waren bijgekomen van de opwinding. 'Wat doen we nu?'

Flo staarde omhoog naar de voorgevel, waartegen een steiger stond met een ladder aan de zijkant. Het gebouw had minstens tien verdiepingen en volgens het naambord woonde de uitslover helemaal boven.

'Nu,' zei Flo, terwijl ze in haar handen spuugde, 'ga ik maar eens een stukje klimmen.'

Flo kan erg goed klimmen. Ze is zelfs een keer in de mast van de Rickmer Rickmers geklommen, het beroemde schip in de haven van Hamburg. Toen ben ik met haar meegeklommen, maar helaas werden we betrapt – en precies daarvoor was ik nu ook bang.

'Nee, doe dat maar niet,' zei ik daarom.

Te laat, Flo stond al op de ladder. Als een aapje klom ze omhoog. Gelukkig was er niemand in de buurt, maar toch draaide ik me zo vaak in alle richtingen dat ik er duizelig van werd. Flo was ondertussen boven aangekomen en loerde door de ramen. Ze bleef het langst kijken bij het op een-na-bovenste en het bovenste raam, totdat ze opeens bukte en bliksemsnel weer naar beneden klom.

'Je gelooft het niet,' zei ze toen ze weer voor me stond. 'Je gelooft niet wat ik heb gezien.'

'Wat?' vroeg ik ongeduldig. 'Wat heb je dan gezien?'

Flo wreef haar handen aan haar broek af. 'Kijk zelf maar,' zei ze. 'Klim maar omhoog en kijk zelf, maar wees voorzichtig.'

Toen spuugde ook ik in mijn handen, en ik wilde net omhoogklimmen toen Flo aan mijn mouw trok. Er kwam iemand uit de deur van het gebouw lopen.

'De uitslover,' siste ze. 'Kom op, weg hier!'

Flo vloog ervandoor en ik ging achter haar aan. We raasden en raasden de hele weg tot aan De Parel van het Zuiden, waar papai net de vloer aan het boenen was met groene zeep.

Pok, daar lag ik op de grond.

'Wie komt daar aangegleden?' zei papai lachend, en Penelope zei: 'Nee toch, jullie zijn helemaal buiten adem. Lola, je moeder heeft net gebeld. Hebben jullie al die tijd bij McDonald's gezeten?'

'Eh ja, zo'n beetje wel,' zei ik, en Flo knikte.

Toen bewonderden papai, Penelope en opa mijn nieuwe glitteroorring en daarna kwamen de eerste klanten. Een vrouw met drie meisjes. Ze hadden allemaal een donkere huid, net als mijn papai. Ze gingen aan de bar zitten en toen ze bestelden, hoorde ik dat het Brazilianen waren. De vrouw wilde koffie en de meisjes *guaraná*, een Braziliaans drankje dat een beetje smaakt zoals cola. Van papai mocht ik de drankjes inschenken. Daarbij hoorde ik dat de moeder aan papai vroeg of hij soms een serveerster nodig had.

'Helaas niet,' zei papai.

'Dat zeggen ze allemaal,' zei de vrouw met een zucht. 'Ik weet onderhand niet meer waar ik het moet vragen. Straks blijven alleen nog de vistenten aan de Reeperbahn over.'

Penelope, die net de menukaarten neerlegde, kromp een beetje in elkaar. Ik wist wat ze dacht. Voordat Penelope in De Parel van het Zuiden werkte, had ze in zo'n vistent gestaan. In die tijd moest ze 's avonds Flo meenemen naar haar werk, waardoor Flo op school had gestonken als een gebakken kabeljauw.

De Braziliaanse moeder en papai praatten nog een hele tijd over Brazilië. Papai woont al heel lang in Duitsland, maar ik weet hoe erg hij zijn vaderland soms mist. Vooral als de zomer voorbij is en de lucht steeds grijzer wordt, zoals nu. Dan worden papai's ogen altijd erg dof en zien ze eruit als kapotte gloeilampen.

Maar nu, terwijl hij over Brazilië praatte, glommen zijn ogen weer. De vrouw vertelde hem over een Braziliaans concert dat een of andere Duitse producent in Hamburg wilde organiseren.

Maar ik luisterde nog maar half. Veel belangrijker was wat Flo op die steiger had gezien. Daar had ik haar nog helemaal niet naar kunnen vragen.

'Vertel op,' zei ik, toen ik met Flo terug naar huis liep. 'Vertel het nu eindelijk!'

Toen glommen ook de ogen van Flo weer. 'Goed dan,' zei ze. 'Door het op een-na-hoogste raam kon ik de huiskamer zien. Niet te geloven, echt niet te

geloven. Een gigantische huiskamer met een televisie zo groot als de muur. Die jongens keken net naar *Ice Age*, met een enorme zak chips en twee flessen cola erbij.'

'Wauw,' zei ik. 'En wat zag je door het bovenste raam?'

Flo grijnsde. 'Je mag drie keer raden, Jane Fond.'

'Een trampoline?'

'Fout. Beter.'

'Een klimkamer?'

'Fout. Nog beter.'

'Een overdekt zwembad?'

'Fout. Nog veel, veel beter.'

Ik pakte mijn vriendin bij haar arm en kietelde haar tot ze naar adem hapte. 'En nu wil ik weten wat je hebt gezien.'

Flo tikte op mijn borst. 'Een tafel.'

'Een *tafel*? En dat is "niet te geloven"?'

'Wat erop lag, bedoel ik,' zei Flo.

Ik kreunde. 'WAT?' riep ik. 'Wat lag er dan op?'

'Een stapel kranten,' zei Flo. 'En een telefoon. En een computer.'

Ik liet Flo's arm los, die ik de hele tijd was blijven vasthouden. 'En *dat* is alles?' vroeg ik. 'Maak je daarom zo'n drukte?'

'Jane Fond,' zei Flo. 'Denk eens goed na. Een tafel

met daarop een telefoon, een stapel kranten en een computer. Wat betekent dat?'

Ik baalde omdat Flo tegen me praatte alsof ik twee jaar oud was. Maar toen begreep ik het. 'Je bedoelt dat de uitslover zijn kantoor *in huis* heeft?'

'Dat heb je goed begrepen, Jane Fond,' zei Flo. 'Hij woont beneden en werkt boven. Ik kon nog net op tijd bukken toen de uitslover zijn werkkamer binnen liep. Tja, nu moeten we alleen nog uitvogelen hoe we daar binnenkomen.'

Nu grijnsde ik. Wat viel er uit te vogelen? En toen Flo me niet-begrijpend aankeek, zei ik: 'Mata Hari, denk nou eens heel goed na. Die uitslover heeft toch kinderen?'

WE GAAN UITMESTEN EN IK SPIONEER

In mijn spionnenboek staat: *De geschiedenis van de spionage begint in feite met de geschiedenis van de mensheid. Zolang wij kunnen denken, hebben heersers, regeringen en andere machthebbers hun spionnen uitgezonden om toegang te krijgen tot de geheime informatie van hun vijanden.*

Maar wat doen spionnen met de geheimen van hun vrienden? Of liever gezegd: met de geheimen van hun beste vriendin? Dat stond niet in mijn spionnenboek. Maar het was wel de vraag die bij me opkwam toen ik zaterdagmiddag met Flo voor haar apothekerskast zat.

Flo en ik waren haar kamer aan het uitmesten omdat we morgen een kleine vlooienmarkt in de Speicherstadt wilden houden. Het idee kwam van mij en Flo had gezegd: 'Jane, je bent geniaal! Door de vlooienmarkt kunnen we ongemerkt bij de jon-

gens in de buurt komen en via de jongens kunnen we onopvallend bij de uitslover komen. We hoeven ons niet eens te verkleden, omdat we in De Parel van het Zuiden onze schmink op hadden en de uitslover ons gisteren niet heeft herkend.'

'Dat heb je goed begrepen, Mata Hari,' zei ik. Daarna begonnen we bij Flo de boel uit te mesten.

Als eerste had Flo de schatkist met magische woorden van haar hoogslaper gehaald. Flo en ik verzamelen namelijk magische woorden. We besloten om er zeven van te verkopen. Ze waren met zilveren letters op zwart karton geschreven:

- Kasjambombahosj
- Zalombombolo
- Mandoeandaloend
- Jakirietsjoe
- Radafsaza
- Heluundeuleu
- Khroearh

Daarna gingen we bij de apothekerskast zitten. Ik maakte de laatjes open. Alleen bij lade nummer 13 trok Flo mijn hand terug. 'Die blijft dicht,' zei ze.

'Waarom?' vroeg ik.

'Dat gaat je niets aan,' zei Flo.

Wat was dat nu? Dat had ik zeker niet goed gehoord! We waren beste vriendinnen, en dan opeens: 'Dat gaat je niets aan.'

Maar Flo bleef erbij. 'Lade 13 is mijn geheim,' zei ze. 'Strikt vertrouwelijk, begrepen?'

Ik schudde ongelovig mijn hoofd, maar wat kon ik doen? Dus deed ik de volgende la open. In totaal had de apothekerskast 102 laden en daarom duurde het drie uur voordat we de oogst bij elkaar hadden:

- vijf plastic spinnen uit lade 3
- een blik 'schemergeurhars' uit lade 18 (Flo zei dat dit poeder toverkracht heeft en fabeldieren kan lokken)
- een hobbyschaar uit lade 27
- een rood fopsnoepje uit lade 39 (Flo zei dat het naar rotte vis smaakte)
- een gedeukt kinderverrassingsei uit lade 44
- acht cassettes met verhalen over de olifant Benjamin uit lade 59 (Flo zei dat ze daar nooit naar had geluisterd, maar dat geloofde ik niet)
- een dode kever uit lade 60 (die hadden Flo en ik van de zomer in de wei gevonden)
- een barbiepop met opengesneden buik uit lade 78

(Flo vertelde dat ze die aan haar blindedarm had geopereerd)

- een fietsbel uit lade 81
- een stoffen kikker uit lade 95 (gewikkeld in wc-papier zodat ik hem niet hoefde te zien)
- een kapot lichtgevend hart uit lade 101

'Oef,' zei Flo kreunend toen we de laatste lade weer hadden dichtgedaan. 'Ik heb trek. Ga je mee naar de bakker, iets lekkers halen?'

'Geen zin,' mompelde ik. 'Ik pak de spullen wel in, oké?'

Toen Flo weg was, deed ik onze buit in de grote schoenendoos die ze had klaargezet. Maar dat karweitje was niet de echte reden dat ik hier wilde blijven. De echte reden bevond zich precies op ooghoogte en heette lade 13.

Laat dicht, zei een stem in mijn hoofd.

Maak open, zei een andere stem in mijn hoofd.

Ik hield mijn handen voor mijn oren, maar dat hielp natuurlijk niet, want die stemmen kwamen van binnen en ik had het gevoel dat ze steeds harder werden.

Dicht! Open! Dicht! Open! Dicht! Open! De hel was losgebarsten in mijn hoofd en op het laatst hield ik het niet meer uit.

Ik deed de lade open.

EEN VRAAG EN EEN ZIEKENHUISBEZOEK

Voordat Flo en ik vriendinnen werden, waren we al penvriendinnen. Flo noemde zich in haar brieven Stella Star, maar in werkelijkheid was ze gewoon Flo. In één van die brieven schreef ze over haar vader. Ik heb die brief nog steeds. *Mijn vader is dood,* had Flo geschreven. *Maar in mijn fantasie leeft hij nog en redt hij walvissen in de Stille Oceaan.*

Ik had Flo daar al een paar keer naar willen vragen, maar op de een of andere manier was het er nooit van gekomen. En nu zou het nooit meer kunnen. Want dan zou ze weten dat ik in haar lade had gekeken.

Een foto. Dat was het eerste wat ik zag. Een foto van een man die duidelijk de vader van Flo was. Zijn ogen waren bruin in plaats van blauw, maar ze hadden wel dezelfde vorm als de ogen van Flo. Ook had de man Flo's smalle gezicht en haar hoge voorhoofd. Als tweede zag ik een rode zeester en een

handvol schelpen. Die lagen achter de foto, en daarachter lagen brieven. Een hele stapel brieven. De bovenste was heel dik, bijna een pakketje. Mijn hart bonsde als een gek toen ik de pakketbrief eruit trok. Hij voelde alsof er een boek in zat. Hij was geadresseerd aan Flo en linksboven stond de afzender: *Eric Zomer, Mauernbrecherstraat 17, Düsseldorf.*

Op zich is het natuurlijk helemaal niet vreemd als je herinneringen en brieven van een dode vader bewaart.

Maar dat geen van die brieven geopend was, *dat* was wel heel vreemd. En het allervreemdste waren de poststempels met de data. Daaraan kon ik bijvoorbeeld zien dat de bovenste brief pas een week geleden was verstuurd.

Hoe kon een dode vader in vredesnaam brieven sturen?

Die vraag brandde als vuur op mijn tong, maar ik kon hem natuurlijk niet stellen. Niet toen Flo vijf minuten later van de bakker terugkwam en een gevulde koek in mijn schoot wierp. Niet toen we dezelfde middag ook op míjn kamer naar spullen voor de vlooienmarkt gingen zoeken. Niet 's nachts, toen ik weer eens wakker lag terwijl Flo naast me aan het snurken was. En ook niet de volgende dag, toen mama ons meenam naar haar ziekenhuis, het Elbe Ziekenhuis. Al dagenlang wilden we Berg opzoe-

ken, maar die had eerst in een ander ziekenhuis gelegen en daar wilde hij geen bezoek hebben.

'Waarom ben je eigenlijk naar een ander ziekenhuis gegaan?' vroeg ik toen we aan het bed van Berg zaten. Zijn been zat van onder tot boven in het gips. 'Omdat mama hier verpleegster is?'

'Dat ook,' zei Berg, en hij schoof een dik kussen onder zijn hoofd. 'Maar vooral vanwege die vuile racist in het andere ziekenhuis.'

'Wat voor vuile racist?' Flo keek op van de olifant die ze op het gipsbeen van Berg aan het tekenen was.

'Een man,' zei Berg. 'Hij lag in het bed naast mij en had zijn kaak gebroken. Maar dat weerhield hem er niet van om te praten. De halve nacht lag hij wakker en schold hij op de buitenlanders, die niet alleen de baantjes afpikken van de Duitsers, maar nu ook nog hun ziekenhuisbedden. Maar hij keek wel naar het achterwerk van de Afrikaanse verpleegster.'

'Ik zou een prop nat wc-papier in zijn mond hebben gedrukt,' zei ik. Met vuile racisten was ik bekend, want in de kleine stad waar we vroeger woonden, had je daar veel van. Maar dat er ook in Hamburg vuile racisten waren, wist ik niet.

'Maar nu lig ik hier,' zei Berg vrolijk. 'En naast me ligt een erg aardige man die elk jaar naar Afrika op vakantie gaat. Op dit moment doen ze even een onderzoekje bij hem.'

'En jij?' vroeg ik. 'Hoelang moet jij hier nog blijven?'

Berg zuchtte. 'Op zijn minst nog een week,' zei hij. 'En jullie? Wat voeren jullie allemaal uit in je vakantie?'

'Ach,' zei Flo terwijl ze een muis op de kop van haar olifant tekende. 'Van alles.'

Net toen Flo de stift in mijn handen drukte, ging de deur van de kamer open. Er stond een zeer grote en zeer dikke vrouw in de deuropening. Het was de oma van Sol uit onze klas. Bij de feestelijke opening van De Parel van het Zuiden had ze met Berg gedanst tot de vloer ervan trilde.

'Lola! Flo!' zei de oma van Sol blij. 'Wat leuk om jullie te zien!' Toen keek ze Flo aan en straalde. 'Sol heeft mij veel verteld over mooie Flo!'

'Eh... wat?' Flo werd helemaal rood en ik moest giechelen. Had Sol zijn oma verteld over de mooie Flo? Dat was nog eens nieuws.

'Daar wil ik niet over praten!' zei Flo toen we naar de verpleegsterskamer liepen waar mama zat.

Ik rolde met mijn ogen en mijn brandende vraag kwam weer terug. Kennelijk waren er best veel dingen waarover mijn beste vriendin niet wilde praten.

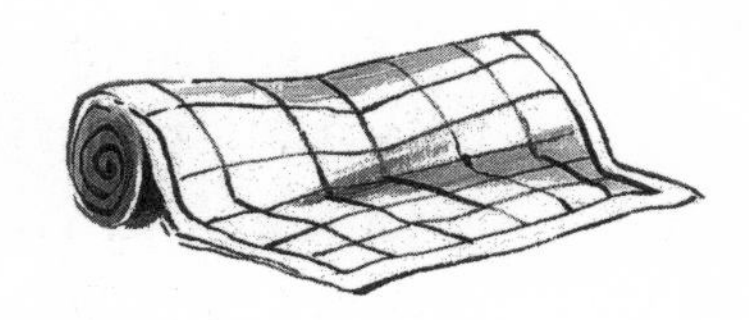

VLOOIENMARKT

'Wat gaan jullie eigenlijk met die rugzak doen? Dat wilde ik nog vragen,' zei mama toen we in het ziekenhuis afscheid van haar namen.

'We maken een uitstapje,' zei Flo.

'Naar de Speicherstadt,' zei ik.

'Wat?' zei mama. 'Is het niet gevaarlijk daar?'

'Ach, Vicky!' zei Flo. 'Ik ben daar al duizend keer geweest met Penelope en het is ook nog eens vlak bij het restaurant.'

Dat moest mama toegeven en Flo en ik gingen op weg. Pas toen we voor het gebouw van de uitslover ons dekentje uitspreidden, verdwenen mijn brandende vraag en mijn slechte geweten vanwege Flo's geheim eindelijk naar de achtergrond.

Ik had minder uitgemest dan Flo. Tenslotte heb ik geen apothekerskast met 102 laatjes en bovendien ben ik nogal gehecht aan mijn spullen.' Ik had een

pakje sterretjes, drie stuiterballetjes, een raceauto-kwartet, vijf boekjes voor kleine kinderen en zeven lichtgevende plastic sterren bij elkaar verzameld. Dat vond ik wel genoeg, want we wilden tenslotte alleen maar bereiken dat de zoons van de uitslover bij ons dekentje zouden blijven staan, zodat we met ze konden praten.

'Als ze tenminste komen,' zei Flo terwijl ze op haar horloge keek. 'Zondag, elf uur. Ze kunnen overal zijn.'

O jee! Daar had ik nog helemaal niet aan gedacht. De jongens zouden zelfs op vakantie kunnen zijn. En vandaag konden we niet op de steiger klimmen, omdat er heel veel mensen op straat waren. Om de haverklap bleven er kinderen met hun ouders voor ons dekentje staan die iets van ons wilden kopen.

Flo verkocht zeven cassettes met verhalen over Benjamin de olifant, twee spinnen, haar geopereerde barbiepop, de in wc-papier gewikkelde stoffen kikker, de fietsbel en de dode kever. Ik verkocht alle vijf de kleuterboekjes, twee stuiterballetjes en de sterretjes.

Ondertussen was het al middag en hadden we elf euro en vijftig cent verdiend. Maar de jongens en de restauranttester lieten zich niet zien. En over een uur moesten we in het restaurant zijn.

'Shit,' zei Flo en ze stond op. 'Ik ga belletje trekken, dan weten we tenminste of ze thuis zijn.'

Flo drukte hard op de bel, maar niemand deed open.

Om kwart voor vijf wilden we net onze spullen inpakken, toen Flo mijn arm vastgreep. 'Daar zijn ze!'

Ik hield mijn adem in. Ja, dat waren ze, alle drie. Ze liepen de hoek om en kwamen recht op ons af. De uitslover droeg drie pizzadozen en zijn jongste zoon zoog vreedzaam op een lolly. De grote reed op een skateboard. Hij stond met beide benen op de plank en hield een mobieltje tegen zijn oor. Ik hoorde hem praten, maar kon niet verstaan wat hij zei. Het klonk een beetje Frans.

Toen de grote mij zag, remde hij en trok zijn wenkbrauwen op. En toen glimlachte hij. *Oeps!* Daar was het weer, die jeuk op mijn hoofdhuid. Het was zo sterk dat ik het liefst mijn pet had afgezet om eens grondig te krabben.

Maar mijn hoofdhuid jeukte ook om een andere reden. De uitslover stond nu bij ons dekentje en keek op ons neer met zijn ik-ben-cooler-dan-jullie-allemaal-bij-elkaar-lachje. Heel even was ik ontzettend bang dat hij ons toch nog zou herkennen. Gelukkig zei hij alleen maar iets heel stoms. 'Zo, spelen jullie winkeltje?'

'Nee,' zei Flo beleefd. 'We verkopen deze dingen echt, omdat we arm zijn en geld nodig hebben.'

O, Flo! Ik kreunde. Dat was geen goede openingszin, vond ik, en dat leek de uitslover ook te denken.

'Hopelijk weten jullie dat je daarvoor een vergunning van de politie nodig hebt,' begon hij, maar zijn jongste zoon onderbrak hem. 'Wat isj dat?' vroeg hij met zijn lolly in zijn mond, en hij hield Flo één van onze magische woorden onder haar neus.

'Dat,' zei Flo op geheimzinnige toon, 'is *kasjambombahosj*. Een magisch woord. Het smelt op de tong, en als je het uitspreekt, kunnen er wonderen gebeuren.'

'Kasjambombahosj,' herhaalde de kleine jongen ernstig, en hij verschoof zijn lolly naar zijn andere wang. 'Kasjambombahosj. Wat kosjt dat?'

'Vijftig cent,' zei Flo luchtig. 'En drie magische woorden bij elkaar kosten één euro. Dan heb je dus vijftig cent bespaard.'

De grote grijnsde en klemde zijn skateboard onder zijn arm. De kleine greep naar de hobbyschaar. 'En die? Wat kosjt die?'

'Ook vijftig cent,' zei Flo.

Ik had nog steeds niets gezegd. Mijn hart klopte gewoon te snel. Ons plan werkte!

'En dat?' De kleine jongen hengelde naar het fop-snoepje met vissmaak.

Flo glimlachte. 'Die krijg je van mij cadeau.'

De uitslover zag er ondertussen behoorlijk ongeduldig uit. Maar het gezicht van de kleine straalde. En de grote greep naar mijn lichtgevende sterren.

'Hoeveel willen jullie daarvoor hebben?' vroeg hij.

'Zeventig cent,' zei Flo in mijn plaats. 'Of laten we gewoon zeggen: twee euro voor alles bij elkaar. Is dat een goed aanbod, of niet?'

De kleine knikte, en de uitslover deed zuchtend een greep in zijn broekzak. 'Hier,' zei hij, en hij gooide drie euro op het dekentje. 'Maar ga nu alsjeblieft weg. Ik hou er niet van als er voor mijn deur wordt gebedeld.'

Gebedeld? Die kerel was echt niet lekker. O, wat had ik graag gezegd wat ik van hem dacht. Maar Flo pakte het geld en zei rustig: 'Hartelijk dank, we zijn sowieso klaar voor vandaag.'

'Dat is dan geregeld,' zei de uitslover en hij draaide zich om naar zijn jongens. 'Kom op, snel. De pizza's worden koud.'

De grote draaide zich aarzelend om. De kleine stopte zijn spullen in zijn broekzak. Alleen het snoepje hield hij in zijn vuistje.

'Dag,' mompelde hij, en hij liep weg.

O nee, dacht ik vertwijfeld. Ga alsjeblieft nog niet naar boven. Ik stootte Flo aan omdat ik mijn mond niet open kreeg.

'Hé, wacht even,' riep ze de kleine achterna. 'Je krijgt nog twee magische woorden, hier!' Ze zwaaide in de lucht met onze zwarte kaartjes. 'Wat denk je van *jakirietsjoe* en *radafsaza*?'

De kleine kwam meteen terug. Gretig pakte hij de kaartjes en stopte ze bij de andere spullen. De uitslover zag er nu echt heel gestrest uit en de grote keek heen en weer van hem naar ons.

'We komen eraan, pa,' riep hij ten slotte. 'Oké?'

'Vijf minuten,' zei de uitslover en hij verdween in het gebouw. Ik ademde uit. Vijf minuten, dat was niet veel. Maar beter dan niets.

'Dat is trouwens een fopsnoepje,' zei Flo tegen de kleine. 'Het smaakt naar vis. Daarmee kun je je vader beetnemen. Maar niet meteen vandaag, oké?' Ze knipoogde en de kleine staarde naar zijn snoepje alsof hij een goudstuk in zijn handen had.

De grote keek me aan en zei: 'Jullie zijn achter ons aangelopen.' En hij ging op zijn knieën zo dicht bij ons dekentje zitten dat ik het hangertje kon zien dat om zijn nek hing. Het was een kleine schorpioen die vastzat aan een bruin leren bandje.

'Jullie zijn ons vanaf McDonald's hiernaartoe gevolgd, hè?'

'Wij, eh...' O nee, wat moest ik nu in vredesnaam zeggen?

Flo kwam me te hulp. 'Klopt helemaal,' zei ze. 'Mijn vriendin wilde je leren kennen. Maar ze was te verlegen en daarom hebben we die vlooienmarkt bedacht.'

Ik keek Flo aan. Voor die opmerking had ik haar het liefst een mep gegeven. Dit was zo mega-, megasuperpijnlijk!

Maar het werkte wel. De grote glimlachte. Het was geen ik-ben-cooler-dan-jullie-allemaal-bij-elkaar-lachje. Het was de glimlach van een stralende ster, waar je helemaal duizelig van werd.

'Ik heet Alex,' zei de jongen. 'En dit is Pascal.'

Ik geloof dat ik hem nog steeds aanstaarde. Ik voelde me net een vis, omdat ik geen enkel geluid kon maken.

'Ik ben Mata,' zei Flo. 'En dit is Jane, mijn beste vriendin. Soms kan ze zelfs praten.'

Nu was het genoeg! 'Hou je kop,' viel ik uit, en plotseling vloog er een hele lading woorden uit mijn mond. 'We hebben alleen maar een beetje voor spion gespeeld omdat we ons verveelden. Jullie wonen hier echt heel mooi!'

'Mijn pa,' zei Alex, terwijl zijn kleine broertje de laatste cassette van Benjamin uit het doosje haalde. 'Mijn pa woont hier. Wij wonen in Parijs bij onze moeder en we komen hier alleen in de vakanties. En jullie? Waar wonen jullie?'

'Ach, wij,' zei ik en ik schraapte mijn keel. 'Wij wonen ergens anders. Maar we komen vaak hier. De Speicherstadt is echt heel mooi. Hoe zien die huizen er vanbinnen uit?'

'Geen idee,' zei Alex. 'Ik ken alleen de woning van pa, en die is wel oké.'

'Die zou ik heel graag een keertje zien,' zei Flo. 'Ik ben nog nooit in zo'n huis geweest.'

Ik hield mijn adem in. Alex aarzelde. Was Flo te ver gegaan?

Pascal was net bezig om de tape uit Flo's cassettebandje te trekken. 'Hoeiiiii,' zei hij, en hij lachte. 'Hoeiiiiii!'

Flo lachte ook, hoewel ik kon zien dat ze die kleine het liefst een tik op zijn vingers had gegeven.

'Die mag je houden,' zei ze. 'Dan kun je een cassettebandsalade van Benjamin de olifant maken.'

Toen trok Pascal de hele tape eruit en zwaaide ermee, zodat de cassette door de lucht vloog. *Pok.* Daar raakte hij het hoofd van Flo. 'Geeft niets,' zei Flo en ze zette haar liefste glimlach op.

Alex trok zijn kleine broertje aan zijn mouw. 'We moeten naar boven,' zei hij, en hij draaide zich nog een keer naar ons om. 'Mijn pa stelt zich altijd een beetje aan met bezoek. Maar als jullie hier sowieso vaak langskomen, bel dan gewoon eens aan. Als het bij ons niet kan, kunnen we elkaar misschien aan de haven zien, of zo.'

Flo en ik knikten, en toen de jongens weg waren, maakte Flo een vreugdedansje.

Ik keek haar kwaad aan. 'Moest dat nou? Moest je nou echt zulke onzin vertellen?'

'Hoezo, onzin?' Flo stopte de overgebleven spullen terug in de rugzak. 'Dat ging toch gesmeerd? En het was niet eens helemaal gelogen.' Ze draaide haar hoofd een beetje scheef en grijnsde naar me. 'Ben je soms verliefd?'

Ik gaf Flo een stomp zodat ze een stukje naar achteren wankelde en bromde: 'Daar wil ik niet over praten.'

EEN WANDELING AAN DE HAVEN

Spionnen leven gevaarlijk, vooral kinderspionnen. Want naast alle andere problemen moeten ze zich ook nog eens bezighouden met hun moeders. Toen mama mij de volgende dag vroeg of ik haar vrije dag samen met haar wilde doorbrengen, wist ik eerst niet wat ik moest zeggen. Ik besloot om dicht bij de waarheid te blijven. 'We hebben twee jongens leren kennen,' legde ik uit. 'Ze brengen hun vakantie door in de Speicherstadt omdat hun vader daar woont. Ze hebben Flo en mij uitgenodigd en hun vader vindt dat prima. Is dat goed?'

'Hm,' zei mama. 'Zo naar wildvreemde mensen gaan, dat vind ik niet echt prettig. Ik breng jullie er wel even naartoe. Wat vind je daarvan?'

'Dat vind ik nogal gênant,' zei ik fel, en gelukkig gaf papai me gelijk.

'Je kunt Lola niet de weg naar de vrijheid geven en

hem dan weer versperren, Vicky. Als Lola zegt dat die vader het prima vindt, dan kunnen we haar vertrouwen. Of denk je dat die man een of ander monster is?'

Dat was natuurlijk grappig bedoeld, maar ik was niet in de stemming om te lachen. Als papai eens wist wie die vader was...

'Penelope heeft helemaal niets gevraagd,' zei Flo toen we elkaar voor haar huis zagen. 'Ze lag nog op bed. Toen ze gisteravond thuiskwam, moest ze alweer huilen.'

'Huilen?' Ik legde mijn arm op de schouders van Flo, maar ze glipte eronder vandaan.

'Kijk eens,' zei ze, en ze haalde een klein fototoestel uit haar zak. 'Die heb ik uit Penelope's bureau. Daarmee kunnen we het artikel op de computer fotograferen. Dan schrijven we het thuis rustig uit, en dan...'

'Hé Flo,' remde ik haar af. 'Eerst moeten we daar zien binnen te komen, denk je ook niet?'

En dat lukte nou juist niet. Toen we aanbelden klonk de stem van Alex uit de intercom. 'Gaat niet,' zei hij. 'Mijn vader is aan het werk. We komen naar beneden, oké?'

'Oké,' zei ik, en ik merkte dat mijn hart weer boven in mijn keel klopte.

Flo zei: 'Shit! Wat moeten we nou doen met die twee?'

'Naar de Rickmer Rickmers gaan,' stelde ik voor.

Alex, die met zijn skateboard onder zijn arm de deur uit liep, vond dat een heel goed idee en Pascal greep gelijk naar de hand van Flo. 'Ik ken alle magische woorden,' verkondigde hij. 'Kasjambombahosj! Jakirietsjoe! Radafsaza! Maar dat wonder? Wanneer gebeurt dat wonder nou?'

'Heel snel,' zei Flo grimmig. 'Wacht maar, er komt heel snel een wonder.'

Terwijl Flo met Pascal vooropliep, reed Alex naast mij op zijn skateboard. Hoewel hij langzaam ging, kon ik zien dat hij behoorlijk goed was. 'Kun je ook van een helling af rijden?' vroeg ik. 'En draaiingen in de lucht maken en zo?'

Alex knikte. 'Natuurlijk,' zei hij. Dat klonk helemaal niet opschepperig, maar eerder als iets vanzelfsprekends. 'Voor ons huis in Parijs,' vertelde hij, 'is een enorm plein met een halfpipe. *Maman* zegt dat ik daar zo onderhand wel in een tent kan gaan wonen.'

'Wie is maman?' vroeg ik. Het klonk best grappig hoe Alex dat woord uitsprak. Alsof iemand met een verstopte neus 'mamoh' zei.

Alex lachte. 'Dat is mijn moeder. Ik noem haar maman omdat ze Frans is.'

Ik noem mijn vader papai, dacht ik, omdat hij Braziliaans is. Maar dat kon ik Alex niet vertellen en zo langzamerhand wilde ik de echt belangrijke vragen eens gaan stellen. Tenslotte was ik hier niet voor mijn plezier. Ik moest een missie volbrengen.

'Hoelang blijven jullie eigenlijk nog hier?' was mijn eerste vraag, en ik slaakte een zucht van verlichting toen Alex vertelde dat hun vakantie nog een week langer duurde dan de onze, maar dat zijn vader helaas steeds moest werken.

Werken. Dat was precies de juiste overgang.

'Wat doet je vader voor werk?' vroeg ik op heel gewone toon.

Ondertussen waren we van de Speicherstadt op de havenpromenade aangekomen. Het was vandaag maandag, en dan is de haven niet zo druk als in het weekend.

'Mijn pa heeft twee beroepen,' zei Alex. 'Zijn belangrijkste werk is het organiseren van modebeurzen en daarnaast test hij restaurants.'

'O,' zei ik. 'Restaurants testen. Hoe doe je dat?'

'Heel simpel,' zei Alex. 'Je gaat naar een restaurant, eet je buik vol, maakt de serveerster helemaal gek en dan schrijf je daar een artikel over.'

'Klinkt spannend,' zei ik, terwijl ik mijn hand in

mijn broekzak tot een vuist balde. 'En wat gebeurt er dan met die artikelen?'

'Die komen in de krant,' zei Alex. 'Daarom is mijn pa nu ook zo gestrest. Hij werkt aan een serie stukken voor de *Scene*, iets met 'top en flop van het jaar'. Aanstaande woensdag moet hij alles inleveren, maar hij is nu pas op de helft.'

'Aha!' zei ik, terwijl ik probeerde mijn opwinding de baas te blijven. Dat spioneren ging gesmeerd. Nu wist ik zelfs wanneer de uitslover zijn stukken moest inleveren!

'En over welke flops schrijft je vader?' ging ik verder.

'Dat daar moet een echte flop zijn.' Alex bleef staan en wees naar een geel papiertje dat aan een lantaarnpaal geplakt was. 'Ik geloof dat hij net over dat restaurant aan het schrijven is.'

Ik keek naar de lantaarnpaal en hapte naar adem, alsof ik niet aan de winderige haven stond, maar in een bedompte kast. De Parel van het Zuiden, stond er op het briefje. *Kom naar ons havenrestaurant en beleef Brazilië van zijn heerlijkste kant.*

Pascal en Flo liepen hand in hand een stukje voor

ons. Toen bleven ze staan voor de Rickmer Rickmers en Flo wees naar het topje van de mast.

In mijn ogen brandden de tranen. Een halfjaar geleden hadden Flo en ik op deze plek folders uitgedeeld. Voor het openingsfeest van De Parel van het Zuiden.

Dit briefje was nieuw. Waarschijnlijk had opa het op de computer gemaakt.

'Die tent schijnt echt een *superflop* te zijn,' hoorde ik Alex zeggen. 'Mijn pa zegt dat ze zelfs ratten hebben. De kok maakt een enorme herrie in de keuken en het schijnt dat de serveerster rijp is voor het gekkenhuis. Ze gooide een bak met ijswater over de broek van pa. En de baas stond alleen maar dom achter de bar en draaide van die onnozele tralalamuziek... Hé Jane, wat is er?'

Alex pakte mijn schouder vast. 'Je gezicht wordt helemaal rood. Voel je je niet goed?'

Nee, ik voelde me niet goed. Ik voelde me als een snelkookpan die elk moment kon ontploffen. En omdat ik niets kon zeggen – ik mocht immers ons geheim niet verraden – besloot ik maar te gaan schreeuwen. 'OOOAAAAAAAAHHHHHHH!' schreeuwde ik.

De mensen op straat draaiden zich geschrokken naar ons om. Ook Flo en Pascal keken om, en Alex staarde me met open mond aan. 'Ben jij wel helemaal lekker?'

'Natuurlijk,' zei ik. 'Dat heb ik gewoon af en toe nodig. Hoe zit het? Gaan we nog naar de Rickmer Rickmers?'

Alex knikte. Maar terwijl we op het beroemde schip van de Portugese marine liepen, keek hij me van opzij af en toe een beetje vreemd aan. Dat moest dan maar, dat geschreeuw had mij in elk geval opgelucht.

Ondanks alles werd het nog best een leuke middag. Flo liet Pascal zien hoe je in een scheepsmast kunt klimmen, Alex trakteerde op een enorme zak patat, Pascal kreeg weer een driftbui omdat hij niet van de cola van Alex mocht drinken en ik sprak met mezelf af dat ik morgen bij de computer van de uitslover zou komen. Hoe dan ook.

PAPAI GAAT NAAR DE BANK EN IK GA TOT HET UITERSTE

'S Ochtends ontbijt papai altijd in pyjama en dan voelt zijn stoppelbaardkin als schuurpapier. Maar toen ik die dag in de keuken kwam, droeg papai een zwart pak met een grijze stropdas en was zijn kin spiegelglad geschoren.

'Is er iemand dood?' vroeg ik geschrokken. De laatste keer dat papai dat pak had gedragen, was namelijk bij een begrafenis.

'Nee, maak je geen zorgen, Cocada,' zei papai. 'Opa en ik gaan alleen maar naar de bank.'

'Naar de kredietthaaien?'

Papai knikte.

'En wat willen jullie daar?'

'Geld.' Nu trok papai een gezicht alsof hij echt naar een begrafenis ging.

'Nou, dan zijn jullie bij de bank aan het juiste adres.'

Papai zuchtte. 'Was het maar zo eenvoudig. Die lui willen wat zien voor hun geld.'

'Wat dan?'

'Iets wat succes belooft,' zei papai. 'Ze willen zien hoe we meer klanten gaan trekken.'

'Aha,' zei ik. 'En hoe gaan jullie dat doen?'

'Goeie vraag,' mompelde papai, en ik moest aan de uitslover denken.

'Een goed artikel,' zei ik. 'Daarmee had je dat kunnen laten zien, hè?'

Papai schoof zijn koffiekopje weg. 'Hou op over dat artikel. Als ze dat artikel zien, is alles afgelopen.'

Toen werd er geklopt. Het was opa. Hij droeg een rood pak, een paars overhemd en een oranje stropdas.

'Huuuu,' zei ik, en papai klapte boven zijn hoofd in zijn handen. 'Je ziet eruit alsof je naar het carnaval gaat,' zei hij.

Opa keek naar zijn kleren. 'Hoezo, is er iets mis met die kleren?'

'Met de kleuren,' zei ik giechelend. Je moet weten dat mijn opa kleurenblind is, en met deze kleuren zag hij er echt raar uit.

'O,' zei opa. Hij wierp een blik op de klok. 'Ik ben bang dat het te laat is om me nog om te kleden. We moeten gaan.'

Ik was het liefst ook meteen weggegaan. Niet naar de bank natuurlijk, maar naar de uitslover. Maar Flo moest Penelope 's ochtends helpen met schoonmaken, en om daar een beetje vaart in te brengen, deed ik mee.

We werkten als paarden, maar toch was het al bijna middag toen we eindelijk voor het huis van de uitslover stonden.

'Hallo?' klonk het uit de intercom. Het was de stem van Alex. Buiten goot het van de regen, maar juist dat was onze mazzel.

'Hier zijn Mata en Jane,' zei Flo in de intercom. 'Kunnen we naar boven komen? Het regent zo.'

'Wacht even, dan vraag ik het,' zei Alex.

Een minuut later stonden we in de woning van de uitslover.

'Wauw,' zei Flo toen Alex de deur voor ons opendeed.

Ik zei helemaal niets. Ik keek alleen maar met grote ogen om me heen. Zo'n huis had ik nog nooit gezien. Alleen al de huiskamer was zo groot als een voetbalveld. Er was een bar met leren krukken en een eettafel van heel zwaar glas. Er stond een biljart en de televisie was zo groot als de muur. Daarvoor

lagen dikke zwarte leren kussens en in glimmende metalen rekken – die van de ene kant van de kamer tot de andere liepen – stonden allemaal dvd's. Aan de andere kant van de kamer stond een stereo-installatie met gigantische boxen en de rekken daarnaast waren volgestouwd met cd's. Voor één kast lag een stapel bladmuziek en stond er een saxofoon op een standaard. En dan was er natuurlijk nog de wenteltrap, die helemaal voor in de voetbalveld-huiskamer stond en naar boven leidde. Naar de werkkamer.

'Schoenen uit,' hoorde ik de uitslover zeggen. Toen kwam zijn hoofd achter de bar tevoorschijn. 'Jullie zien eruit als natte berggeiten. Alex, haal eens een handdoek voor de jongedames, ik haat watervlekken op het parket.'

Alex knikte, maar Pascal was de badkamer al in gestormd. Daarna sprong hij als een jong hondje om Flo heen.

'Ik geloof dat iemand jou heel aardig vindt,' zei de uitslover. Hij kwam achter de bar vandaan en voor het eerst was zijn glimlach vriendelijk.

Toen we onze schoenen hadden uitgetrokken en onze haren hadden drooggewreven, liep ik naar het rek met de cd's. Het waren er minstens duizend, en zeker een derde ervan was muziek uit Brazilië!

'*Canto do pajé* van Maria Bethania!' riep ik uit. 'Waar hebt u die vandaan, die is toch helemaal niet te koop in Duitsland?'

'Nou, jij hebt er kennelijk verstand van,' zei de uitslover. 'Hoe ken jij Maria Bethania?'

'Ik, eh...' stamelde ik, en ik had me wel voor mijn kop kunnen slaan vanwege die stommiteit. Ik kende Maria Bethania natuurlijk van papai, en ook van Penelope. Papai is gek op die zangeres en Penelope kan al haar liedjes zingen. Papai heeft zelfs een keer gezegd dat Penelope precies zo'n stem heeft als Maria Bethania. Maar dat kon ik de uitslover moeilijk vertellen, en ook over een Braziliaanse vader wilde ik het liefst zwijgen.

'Van mijn moeder,' loog ik daarom maar. 'Ik ken Maria Bethania van mijn moeder.' En terwijl de uitslover me nog steeds een beetje vreemd aankeek, voegde ik daaraan toe: 'Mijn moeder is Braziliaanse, maar ze werkt in Duitsland als zangeres en mijn vader is arts. Keel-, neus- en oorarts.'

Zo, dacht ik tevreden. Zo doet een spionne dat. IJskoud liegen, zonder met je ogen te knipperen.

Maar de uitslover had nu weer dat akelige glimlachje op zijn lippen. 'Je vriendin zei toch dat jullie arm zijn en geld nodig hebben?'

Ik keek om naar Flo, omdat ik nu echt hulp nodig

had. Maar ze liet zich net onder de glazen tafel kietelen door Pascal, en Alex stond daar maar en keek me aan. Ik voelde me een volslagen idioot.

'Mijn moeder heeft helaas een ernstige stembreuk,' perste ik eruit, 'en mijn vader heeft nauwelijks nog patiënten. Daarom zijn we al ons geld kwijt.'

'Het spijt me om dat te horen,' zei de uitslover, zonder dat zijn glimlach verdween.

'Maar jullie hebben wel een goede smaak op muziekgebied. Maria Bethania zingt als een godin. Zij is de enige vrouw die mij aan het huilen kan maken.'

Wat was dat nou weer voor stomme opmerking? Je zult vast nog van andere dingen moeten huilen, dacht ik, en ik dwong mezelf om te glimlachen.

'En kijken jullie een beetje uit voor de tafel,' riep de uitslover naar Pascal en Flo. 'Ik heb nu een afspraak en als ik terugkom, wil ik dat het huis nog overeind staat.' Nu keek hij Alex aan. 'Als er iets breekt terwijl ik weg ben, dan was dit de eerste en laatste keer dat jullie bezoek hebben gehad terwijl ik weg was. Is dat duidelijk?'

Alex verdraaide zijn ogen. 'Ga nou maar, pa. We zullen voorzichtig zijn.'

'Als jullie honger hebben,' zei de uitslover, die nu

weer vriendelijk glimlachte, 'dan liggen er pizza's in het vriesvak. Of je maakt een blik ravioli open.'

Toen trok hij zijn leren jack aan en verdween.

'Zo,' zei Alex, en hij grijnsde. 'Wat dacht je van pizza en een film?'

Het hoofd van Flo kwam onder de glazen tafel tevoorschijn. Ze loerde naar me en bewoog kort met haar ogen in de richting van de wenteltrap die naar boven leidde. 'Pizza en film,' zei ze. 'Dat klinkt goed, hè Jane?'

Ik knikte en terwijl Flo en Pascal elkaar rond het biljart achternazaten, stond ik bij Alex in de keuken.

'Hoe oud ben jij eigenlijk?' vroeg ik Alex, die net de pizza's in de oven deed.

'Elf,' zei Alex. 'En jij?'

'Tien.'

'Ben je in juli of in augustus jarig?'

'Geen van beide,' zei ik verbaasd. 'Ik ben net jarig geweest, op 2 oktober. Zaterdag geef ik met mijn vriendin een feestje. Als je wilt, kun je ook komen.'

Oeps! Ik deed mijn hand voor mijn mond. Dat met dat feestje had ik er zomaar uitgeflapt. Ik kon Alex helemaal niet uitnodigen, ook al zou ik het willen! Hoe moest ik hem uitleggen dat ik niet Jane heette, maar Lola?

Maar nu was het te laat. 'Ik kom graag naar je feestje,' zei Alex en hij keek me peinzend aan. 'Op 2 oktober, dan ben je dus een weegschaal. Ik had durven wedden dat je sterrenbeeld leeuw was. Maar misschien is dat je ascendant. Weet je die?'

Ik schudde verward mijn hoofd. Ik had nog nooit gehoord van een assen-dinges.

Alex grijnsde. 'Geeft niks. Dat met die sterrenbeelden is een beetje een afwijking van me. Ik wil later astroloog worden. En jij?'

'Geheim agente,' zei ik, en ik pakte mijn oorringetje vast. 'Maar ik hou ook van sterren. Jij bent schorpioen, hè?'

Alex raakte zijn hangertje aan. 'Goed geraden,' zei hij.

Toen ging de kookwekker af. De pizza's waren klaar.

We aten op de leren kussens voor het grote scherm.

Ik mocht de film uitzoeken. Ik koos *The Spy who Loved Me*, een James Bond-film.

De pizza was lekker en de film was echt goed, maar toch kon ik nauwelijks wachten om naar boven te gaan.

'Ik ga,' zei Flo zonder geluid te maken met haar lippen, terwijl James Bond en de man met het ijzeren gebit aan het vechten waren. Pascal was op Flo's schoot gaan zitten en staarde geboeid naar het scherm. Alex zat naast me. We zaten zo dicht bij elkaar dat onze armen elkaar af en toe raakten. Elke keer als dat gebeurde, ging mijn hoofdhuid ontzettend jeuken.

'Nee, ik ga,' antwoordde ik Flo met mijn lippen. En om mijn vriendin voor te zijn, stond ik op.

'Ik moet even naar de wc,' zei ik. 'Maar laat de film rustig aan staan.'

'De badkamer is achteraan, links,' riep Alex me na.

Om niet op te vallen liep ik eerst daarheen. Ik knalde de deur van buiten goed dicht, zodat het klonk alsof ik naar de wc was gegaan. Toen liep ik zo snel en zo stil als ik kon naar rechts, de wenteltrap op. Daarbij keek ik niet naar voren maar naar achteren, om er zeker van te zijn dat niemand me volgde.

Ik keek pas weer naar voren toen ik op de hoogste trede stond. De trap leidde meteen naar de werkkamer, zonder dat je een deur door moest. Maar het enige waar ik oog voor had, was een grote dierenfiguur die op de laatste trede zat. Hij was groen en hij glom en hij was net echt en zo groot als een hond. Maar het was geen hond. Het was een kikker. Een dikke vette groene kikker van geverfd papier-maché. Hij had een kroon op zijn kop en staarde me aan met gele, uitpuilende ogen.

Dat was het laatste wat ik zag. Daarna werd alles donker om me heen en viel ik, net als die keer bij de schoolactie 'Hamburg ruimt op', toen Flo een dode kikker onder mijn neus had gehouden. Toen was ik op het gras gevallen en werd ik wakker in de schoot van juf Wiegelman. Maar dit keer viel ik van de trap en toen ik bijkwam, lag ik met mijn hoofd in de schoot van Alex.

'Jane,' zei hij. Zijn gezicht was helemaal bleek. 'Jane, wat is er? Wat is er gebeurd? Zeg toch iets, alsjeblieft, zeg toch iets!'

'Au,' zei ik.

En Flo belde het alarmnummer.

DE NACHT VAN DE ZINGENDE WALVISSEN

Opa zegt dat je in iets slechts ook altijd iets goeds moet kunnen zien, en het goede was in dit geval dat ik maar heel licht gewond was. Flo zegt dat ik wel dood had kunnen zijn, zoals ik van die trap was gedonderd. Maar volgens de man van de ziekenwagen had ik alleen maar een gekneusde pols. Hij legde een strak verband aan en ik hoefde niet eens mee naar het ziekenhuis. Ik verborg mijn pols onder mijn sweatshirt.

Ook goed was dat de uitslover niet kwaad was toen hij hoorde dat ik van zijn trap was gevallen. Net toen de ziekenwagen wegreed, kwam hij de hoek om.

'Wat is er gebeurd?' riep hij, en hij zag er ontzettend geschrokken uit.

'Ik wilde naar de wc gaan,' piepte ik. 'Ik dacht dat hij boven was. Toen ben ik uitgegleden. Het spijt me. Maar er is niets ergs met me gebeurd.'

De uitslover legde zijn arm op mijn schouder. 'Gelukkig maar,' zei hij. 'Zal ik jullie even naar huis brengen?'

'Nee hoor, dat hoeft niet. Het gaat wel,' zei ik haastig. En tegen Alex, die zijn kleine broertje bij de hand hield en nog steeds een beetje bleek was, zei ik: 'Goed dan, misschien tot morgen?'

'Morgenochtend gaan we boodschappen doen,' zei Alex. 'Maar 's middags zijn we hier. Als jullie willen, kunnen we James Bond afkijken.'

Toen we wegliepen, riep Pascal ons nog na: 'Kasjambombahosj.'

De hele terugweg maakte ik me zorgen over wat mama en papai zouden zeggen als ze mijn gekneusde pols zagen. Maar toen ik thuiskwam, zat mama met papai in de huiskamer.

'Laat ons even alleen, Lola,' zei papai toen ik binnenkwam. Ik ging naar mijn kamer. Daar verschanste ik me in mijn superkosmosruimteschip, dat ik ooit van een grote oude verhuisdoos had gemaakt, en ik vroeg me af hoe het nu allemaal verder moest.

De volgende dag ging papai 's middags naar De Parel van het Zuiden. Hij had mijn verband niet eens gezien. En toen mama me bij het avondeten verbrande pannenkoeken gaf, wist ik dat er iets

ergs was gebeurd. De laatste keer dat mama iets had laten aanbranden, was toen iemand op de muur van ons oude huis NEGERS HOREN IN HET OERWOUD had geschreven. Daarna waren we verhuisd. Niet naar het oerwoud natuurlijk, maar naar Hamburg.

'Gaat De Parel van het Zuiden nu dicht?' fluisterde ik. Mama zei geen ja. Maar ze zei ook geen nee, en dat was bijna nog erger.

'Gaat De Parel van het Zuiden nu dicht?' vroeg ik de volgende dag aan oma toen ik tante Liesbeth bij haar in de boekwinkel had gebracht. Uit mama had ik geen woord gekregen en papai had de hele ochtend op bed gelegen. Dat doet hij anders bijna nooit.

Oma was net bezig om de nieuwe boeken uit de dozen te halen die de uitgevers hadden gestuurd. 'Ik weet het niet, Lola,' zei ze. 'Het gesprek met de bank ging heel slecht. Maar ze willen het over twee weken nog eens bij een andere bank proberen. Misschien hebben ze daar meer... Goedemiddag, kan ik u helpen?'

Er was een klant in de winkel gekomen, die met een zoekende blik op de kinderafdeling stond. Daar zat tante Liesbeth op een leeslocomotief, een groot gevaarte, te bladeren in een reusachtig prentenboek.

'Een prentenboek,' zei de klant. 'Ik zoek een nieuw prentenboek. Mijn dochter is helemaal gek van *Hup, hup, Hopla Haasje*, en *Brom, brom, Brommie de Beer* heeft ze ook. Is er misschien al een nieuw deel in die serie?'

Ik hield mijn adem in. Nu ging de klant wat meemaken. Oma zegt dat kinderen dom worden van zulke boeken, en de laatste paar keer had ze de klanten die prentenboeken uit hun handen gegrist.

Maar deze keer greep ze alleen maar zuchtend in de doos. 'U hebt geluk,' zei ze. '*Woef, woef, Wolfie Wolfje*, het nieuwste deel, is net verschenen. Ik wens uw dochter veel plezier met dit buitengewoon intelligente kinderboek.'

'Dank u,' zei de klant stralend. Hij merkte helemaal niet dat mijn oma dat ironisch had bedoeld.

'Sommige mensen zijn nou eenmaal niet meer te helpen,' zei ze toen de klant de winkel uit liep. 'Dan moeten hun kinderen maar dom worden.'

Toen pakte ze de andere dozen uit en hielp ik haar om de boeken in de rekken te zetten.

Er was een nieuw boek van Cornelia Funke, mijn lievelingsschrijfster, en ook een nieuw spionnenboek. Het heette *Ook geheim agenten hebben slaap nodig*, en ik moest gapen omdat ik zelf de halve nacht wakker had gelegen.

'Deze moet in de etalage,' zei oma en ze hield een blauw boek onder mijn neus. Het heette *De nacht van de zingende walvissen*, maar ik had alleen oog voor de naam die boven de titel stond. De man die dat boek geschreven had, heette Eric Zomer.

Pok. Het boek viel uit mijn handen.

'Lola!' riep oma. 'Kun je niet uitkijken?'

'Sorry,' fluisterde ik. Oma schudde haar hoofd en met trillende handen raapte ik het boek op. Eric Zomer, die naam had op die brief aan Flo gestaan. Helemaal achter in het boek stond een foto, en ik zag hetzelfde gezicht als op de foto in het laatje van Flo. Onder de foto stond iets over Eric Zomer. Dat hij in Düsseldorf woonde en dat dit zijn eerste boek was, waar hij vele jaren aan had gewerkt. Helemaal voorin stond: *Voor mijn dochter.*

'Mag ik dit boek hebben, oma?' vroeg ik. Mijn stem trilde als een gek.

Oma fronste haar voorhoofd. 'Dat is een boek voor volwassenen, Lola. Ik denk niet dat het iets voor jou is.'

'Maar die man heeft dat boek voor zijn dochter geschreven,' zei ik. 'Dan kan ik het toch ook lezen, of niet?'

'Ibsel ook ezen,' zei mijn tante, en ze stond op van haar leeslocomotief.

'Jij niet, Liesbeth,' zei ik, en ik streek de blonde krullen uit mijn tantes gezicht. Ze hingen bijna tot op haar schouders en kringelden al bijna net zo mooi als de mijne.

'Ik zou best willen weten wat er gebeurt als je haar haren afknipt,' zei oma. 'Of die krullen dan blijven of niet.'

'En, mag ik dat boek hebben?' vroeg ik.

Oma knikte en als betaling beloofde ik morgen op tante Liesbeth te passen. Vandaag zou ze bij oma in de boekwinkel blijven, maar lang houdt mijn tante het daar niet uit. Als ze zich verveelt, gaat ze soms in de boeken tekenen.

Ik nam het boek onder mijn arm en rende naar huis. Eigenlijk had ik met Flo afgesproken. Om halfvier zouden we naar de Speicherstadt gaan. Maar nu wilde ik lezen.

EEN GEEST ZONDER HOOFD EN EEN SCHOK BIJ DE SUIKERSPINKRAAM

'Lola! Loooola! Heb je soms oordopjes in? Loooooo-la! Telefoooooooon!'

Mama stond in de deuropening. En ik dook op. Ik dook op uit de diepste diepte. In mijn hoofd ruiste de zee, mijn tong proefde het zout en in mijn oren klonk het gezang van drie reusachtige orka's.

Even later schreeuwde Flo in mijn oor. 'Jane, waar blijf je nou? We moeten gaan!'

Gaan? Ik keek op de klok. O nee, door al dat lezen was ik de tijd helemaal vergeten.

'Ik kom,' riep ik. 'Ik kom eraan. We zien elkaar voor het huis van de uitslover, oké?'

Toen ik daar aankwam was het kwart over vier. Flo was woedend. 'We hebben nauwelijks tijd meer en jij loopt maar te treuzelen! Heb je al iets bedacht om die jongens bezig te houden? Vandaag ga ik achter die computer zitten.'

Nee, ik had nog niets bedacht. Maar dat bleek ook helemaal niet nodig te zijn, omdat niemand ons naar boven liet komen. De jongens kwamen naar beneden en achter hen liep de uitslover. Hij rook naar aftershave en sigaretten.

'Pa moet werken,' zei Alex.

'En wij gaan naar de kermis,' kraaide Pascal.

'Naar de kermis?' riepen Flo en ik geschrokken. 'Maar we wilden James Bond verder kijken.'

'Jane Fond houdt dus van James Bond, hm?' De uitslover liet zijn glimlachje weer zien. Hij haalde een zwarte pen uit de zak van zijn spijkerbroek. 'Deze lag onder aan de trap,' zei hij. 'Hij ziet er echt heel geheim uit. Heb je er ook een microfoontje in verstopt?'

'Ja, eh... Nee, dank u,' stotterde ik en ik greep naar mijn spionagepen. Shit, die was zeker uit mijn zak gevallen toen ik van de trap viel.

'Ik moet een paar restaurants aflopen,' zei de uitslover. 'En omdat het zulk mooi weer is, dacht ik dat mijn twee jongens de dames konden meenemen naar de kermis op de Hamburger Dom. Als kleine schadevergoeding voor je ongeluk, Jane Fond.'

De uitslover rinkelde met zijn autosleutels. 'Ik breng jullie erheen en haal jullie over twee uur weer op bij het reuzenrad, oké?'

Alex keek me aan met zijn groene ogen en Pascal greep naar de hand van Flo.

We knikten zwakjes. 'Natuurlijk, leuk. Heel erg bedankt.'

'Hou je niet van kermissen?' vroeg Alex toen we een kwartier later met verward haar voor de enorme zweefmolen stonden. De uitslover had ons met zijn cabriolet naar de Dom (zo heet de jaarmarkt in Hamburg) gebracht. Daarna had hij Alex vijftig euro in zijn handen gedrukt. Vijftig euro! Zo veel geld had ik niet eens voor mijn verjaardag gekregen.

'Jawel hoor, ik hou best van kermissen,' zei ik, en ik glimlachte dapper. Eigenlijk klopte dat ook wel; ik had hier altijd al naartoe willen gaan. Maar papai heeft hoogtevrees en mama moet al overgeven als ze alleen maar dénkt aan de zweefmolen. Maar ik ben gék op zweefmolens, hoe sneller hoe beter. En toen ik me er eenmaal mee verzoend had dat we onze missie voor vandaag wel konden vergeten, werd het een geweldige middag – tenminste, voor mij, Alex en Pascal. Het kleine broertje van Alex wilde eigenlijk maar één ding: in de botsautootjes rijden.

'Mata gaat met mij mee, hè?' Pascal legde zijn hoofd een beetje scheef en zette grote ogen op. Flo

zuchtte. Dus wisselden we het vijftig eurobiljet, gaven Flo en Pascal twintig euro en spraken om zes uur bij het reuzenrad af.

Alex en ik gingen op het piratenschip en in de helse schommel. We schreeuwden de longen uit ons lijf in de achtbaan en het spookhuis was zo griezelig dat ik naar de hand van Alex greep. Mijn verband had ik die ochtend alweer af kunnen doen.

Toen een geest zonder hoofd allemaal groene glibberwormen uit zijn open nek haalde en daarmee in de lucht zwaaide, kneep ik mijn ogen dicht en nestelde ik me tegen de trui van Alex. Het was een heel zachte trui, die een beetje naar pizza margaritha rook, en het haar van Alex rook naar appelshampoo. Ik was het liefst verder en verder met het treintje door het spookhuis gereden. Vooral toen Alex zijn arm om me heen sloeg en me nog wat dichter tegen zich aan drukte.

Maar we waren al bijna bij de uitgang en toen we uit het wagentje klommen, moesten we allebei ontzettend kuchen en wisten we niet waar we moesten kijken.

Ik keek eens naar links en ik keek eens naar rechts en toen zag ik Annalisa.

Ze leunde met haar moeder tegen een kraampje dat 'Suzies suikerzoete paradijs' heette en ze at een

roze suikerspin. Net toen ik Alex een andere kant op wilde trekken, ontdekte Annalisa ons. Ze keek van mij naar Alex, en van Alex naar mij, en begon toen ontzettend stom te giechelen. Ik grijnsde terug en hoopte dat ze me niet zou aanspreken. Maar dat deed ze wel.

'Hallo Lola,' zei Annalisa, terwijl ze Alex van top tot teen bekeek.

'Hallo,' mompelde ik, en ik bedacht wanhopig hoe ik hier zo snel mogelijk kon wegkomen. 'We moeten helaas weer verder, we hebben nog een afspraak.'

Annalisa giechelde weer en de moeder van Annalisa zei: 'Nou, dan wens ik jullie nog een fijne vakantie, en doe de groeten aan je ouders, Lola. We komen eerdaags zeker weer eens naar De Parel van het Zuiden. Sinds het openingsfeest in mei zijn we er helemaal niet meer gewee...'

Toen begon ik maar te rennen.

'Nou, Jane Fond,' zei Alex hijgend, toen hij me had ingehaald. 'Ik geloof dat je me nu maar eens iets moet uitleggen.'

Ja, eigenlijk moest ik dat maar eens doen. Maar wat? Wat zou ik Alex kunnen uitleggen? Help! Hoe moest ik me hieruit redden?

'Ik...' begon ik. 'Kijk, het zit zo. Flo, ik bedoel Mata en ik... Ik heb je toch verteld dat we voor spionnen speelden? En 's nachts als ik niet slapen kan, dan stel ik me soms voor dat ik echt een spionne ben. En dan heet ik even Jane Fond. En mijn vriendin Flo noemt zich dan Mata. Gewoon, voor de lol. Begrijp je?'

Ik probeerde te grijnzen naar Alex, maar dat lukte niet. Ik voelde me ontzettend stom. Bovendien was ik heel erg bang dat nu alles zou uitkomen. En opeens was ik ook woedend op Flo. Had ze niet gewoon onze echte namen kunnen zeggen? Wat moest Alex nu wel denken?

Alex knikte, maar hij keek me nog steeds een beetje vreemd aan. 'Flo en Lola, dus. Hm. En wat is dat met De Parel van het Zuiden?'

Ik begreep waar Alex nu aan dacht: aan het gele papiertje aan de haven en aan mijn geschreeuw.

'De Parel van het Zuiden,' begon ik langzaam, en

herhaalde de naam nog een keer om tijd te winnen. 'De Parel van het Zuiden, dat is dus waar wij een keer hebben gegeten. Met Annalisa en haar ouders. Op het openingsfeest in mei.' En uitdagend voegde ik daaraan toe: 'En we hebben heel lekker gegeten.'

Toen schudde Alex zijn hoofd. Even dacht ik dat hij er geen woord van geloofde. Maar toen lachte hij en zei: 'Lola. Lola, leeuwin. Weet je intussen al je ascendant?'

Nu schudde ik mijn hoofd en toen pakte Alex mijn hand. Gewoon, hoewel er nu helemaal geen geest in de buurt was.

En hij liet mijn hand niet meer los, ook niet toen we Flo en Pascal zagen, die zeven keer achter elkaar in de botsautootjes waren geweest.

Op het laatst gingen we met z'n allen nog in het reuzenrad, en helemaal bovenin kon ik De Parel van het Zuiden zien liggen. Ik hield nog steeds de hand van Alex vast, hoewel onze handen al best zweterig waren. Ik zei helemaal niets meer, omdat ik het haat om te liegen tegen mensen die ik aardig vind.

En ik vond Alex aardiger dan ik eigenlijk wilde. Veel, veel aardiger.

MERDE

Je ascendant is het sterrenbeeld dat op het moment van je geboorte aan de oostelijke horizon opkomt. Een ascendant is zo'n beetje je tweede sterrenbeeld, want het staat voor alle eigenschappen die een mens aan de buitenwereld laat zien. Dat legde mama mij de volgende dag bij het ontbijt uit.

'Ik wist helemaal niet dat jij ook geïnteresseerd was in sterrenbeelden,' zei ik.

'Hoezo *ook*?' vroeg mama.

'Eh... zei ik *ook*?'

Mama knikte.

'Nou ja,' mompelde ik. 'Omdat *ik* me voor sterrenbeelden interesseer. Weet jij wat mijn ascendant is?'

'Die hebben we wel eens berekend,' zei mama. 'Maar ik ben hem weer vergeten.'

'Berekend?' vroeg ik. 'Hoe gaat dat dan?'

Mama dacht even na. 'Je moet het tijdstip weten

waarop je bent geboren, en ook je geboorteplaats. Dan kun je hem berekenen. Ergens heb ik dat briefje nog, maar ik weet niet meer waar.'

'En mijn tijdstip en de plaats?' vroeg ik. 'Weet je die nog?'

'Natuurlijk,' zei mama. 'Je bent om vijf voor twaalf geboren in Klötze.'

'Kun je mijn ascendant berekenen als ik je de plaats en het tijdstip van mijn geboorte zeg?' vroeg ik Alex toen ik 's middags met Flo en tante Liesbeth voor zijn deur stond. We hadden mijn tante moeten meenemen, omdat dit mijn betaling was voor het walvissenboek.

Alex grijnsde. 'Natuurlijk kan ik dat.'

'Wie isj dat nou?' Pascal drong zich voor Alex. Hij had in elke wang een lolly, waardoor hij leek op hamster Harms.

'Dat is mijn tante,' legde ik uit. 'Ze heet Liesbeth en ze wil jou graag leren kennen.'

Pascal straalde en Alex fronste zijn voorhoofd. 'Je tante? Is dat weer een van je spelletjes?'

'Nee, dit is echt waar.' zei ik, want ik had besloten om alleen nog maar te liegen als het echt nodig was.

Daarom vond ik het ook prima dat Flo vandaag achter de computer zou gaan.

Alex glimlachte naar tante Liesbeth en liet ons binnen. 'Pa is uit eten, maar hij vond het goed dat jullie kwamen. En, Pascal, wat vind je van Lola's tante?'

'Leuk,' zei Pascal, en hij trok tante Liesbeth een kamer in aan het einde van de gang. *Boem,* ging de deur dicht.

'Ik ga maar even mee,' zei Flo, en ze knipoogde naar me. 'Zodat die twee geen gekke dingen doen. Jullie kunnen James Bond wel afkijken zonder mij.'

'We kunnen ook je ascendant uitrekenen,' zei Alex. 'Op internet heb je daar een programma voor. Als je wilt, laat ik het je zien.'

'Op internet?' Ik sperde mijn ogen open. 'Je bedoelt boven, op de computer van je pa?'

Alex knikte maar ik schudde mijn hoofd, hoewel ik graag een blik op de computer had geworpen. Maar die kikker was er natuurlijk ook nog steeds en bovendien wilde Flo straks naar boven.

'Liever James Bond,' zei ik daarom.

De tweede helft van de film was nog spannender dan de eerste. Dat kwam misschien ook doordat Alex en ik nu alleen voor het enorme scherm zaten, naast elkaar op een van de zwarte leren kussens.

Alex hield weer mijn hand vast, en toen James Bond de vijandelijke spionne kuste, brak op mijn hoofdhuid de hel los.

'Ik ga maar even kijken wat de kleintjes doen,' zei ik. Eigenlijk wilde ik kijken of Flo al naar boven was geslopen. Ik had haar namelijk nog helemaal niet gehoord. Maar ik ging ook een beetje weg omdat ik de spanning nauwelijks kon verdragen – en daarmee bedoel ik niet alleen de spanning van de film.

Help! Ik dacht dat je minstens dertien moest zijn om verliefd te worden!

De deur van de kamer, waar Pascal mijn tante in had getrokken, stond nu op een kier. Daarachter was het helemaal stil.

Langzaam duwde ik de deur open, zodat ik eerst alleen de rechterkant van de kamer kon zien. Daar was het een ongelofelijke puinhoop. Op het onopgemaakte bed lagen stapels kleren, cd's en vieze sokken. Op de grond lagen schoenen, boeken, lege chipszakken en colaflessen – en pas toen ik midden in die bende het skateboard zag, bedacht ik dat deze kant van Alex moest zijn, ook al omdat er boven het bed een enorme poster van het heelal hing. Daarnaast waren mijn lichtgevende sterren geplakt.

Ik moest grijnzen. En dan zegt mama dat *ik* slor-

dig ben. Misschien moest ze de kamer van Alex maar eens zien, of in ieder geval zijn helft ervan.

De andere helft zag ik pas toen ik de deur helemaal opendeed. Op het bed lag een rij zorgvuldig opgestelde knuffelbeesten. In het rood geverfde rek naast het hoofdeinde van het bed lag een stapel spelletjes en links achter in de hoek ontdekte ik Pascal. Hij stond op een rond blauw vloerkleedje met zijn rug naar mij toe. Om hem heen lagen allemaal gele pluisjes op de grond. Flo was niet in de kamer, en ook tante Liesbeth zag ik niet.

'Waar is mijn tante?' vroeg ik geschrokken. Pascal draaide zich om. Hij had mijn hobbyschaar in zijn hand en lachte een beetje angstig naar me. Tante Liesbeth zat voor hem op een rood plastic krukje. Toen ik haar hoofd zag, wist ik wat die gele pluisjes op de grond waren. Het waren de krullen van tante Liesbeth.

Mijn oma zou het hoofd van tante Liesbeth huiveringwekkend hebben genoemd, hoewel tante Liesbeth hele-

maal niet huiverde. De linkerkant was heel kort geknipt, terwijl er aan de rechterkant nog wat lange strengen hingen. En de haren in het midden stonden loodrecht omhoog, net als bij een hanenkam.

Pascal grijnsde nog wat angstiger en tante Liesbeth zei blij: 'Knip knip, grappig.'

Ik zei helemaal niets.

Erger dan dit kan het niet worden, dacht ik. Maar ik vergiste me; het werd wel erger.

Ik hoorde voetstappen. En net toen ik de kamer uit liep, zag ik de uitslover. Hij was terug. Hij liep de wenteltrap op.

'MENEER BRÜCKE!' riep ik zo hard als ik kon. 'MENEER BRÜCKE, U BENT TERUG!'

De uitslover draaide zich om. 'Nee toch, wil je soms dat ik ook van de trap val? Mijn hemel, jij zou iemand zich nog dood laten schrikken!'

'Nee!' zei ik schor, maar toen draaide de uitslover zich weer om en zette hij zijn voet op de volgende trede. Wat kon ik anders doen dan verder te schreeuwen en hopen dat Flo boven zou begrijpen wat er aan de hand was?

'MAAR MENEER BRÜCKE, U BENT TOCH NET PAS WEER THUIS! WAAROM LOOPT U NU AL OP DE WENTELTRAP NAAR UW WERKKAMER?' schreeuwde ik.

'Ben jij wel helemaal lekker, meisje?' Nu draaide

de uitslover zich weer om, maar hij maakte geen aanstalten om naar beneden te gaan. Alex stond ondertussen ook bij ons, maar Pascal en Liesbeth lieten zich niet zien. De kleine had vast begrepen dat er wat zou zwaaien. Heel even overwoog ik om de uitslover af te leiden met het kappersspel van Pascal. Maar als hij mijn tante met dat vreselijke kapsel zag, zou hij het nooit meer goedvinden dat we hier alleen waren. En als hij Flo bij zijn computer betrapte al helemaal niet.

Wat moest ik doen, wat moest ik nu toch doen? Wanhopig keek ik naar Alex. Maar die fronste nietbegrijpend zijn voorhoofd en de uitslover schudde zijn hoofd. Toen liep hij verder naar boven, waarbij hij twee treden tegelijk nam, en verdween in zijn werkkamer.

Ik stond daar alsof ik in een pilaar was veranderd.

Achter in de kamer was alles nog steeds stil.

Maar toen werd er aangebeld. Alex deed open en twee minuten later stond Flo in de gang.

'Ik was heel even naar buiten gegaan,' zei ze. 'Frisse lucht happen. Is alles goed hier?'

'Dat weet ik niet zeker,' zei Alex.

Ik begreep er niets meer van. Hoe kon Flo nu van buiten komen?

Nu ging ook nog mijn tante huilen. 'Ibsel huis,'

hoorde ik haar piepen. Toen ging de kamerdeur open. Mijn tante stond met een gezicht vol tranen voor ons en Pascal keek nu heel angstig omhoog naar Alex. Flo's mond viel open.

'Ze wilde het zelf,' zei Pascal uitdagend. 'Dat wilde ze zelf. Ze zei de hele tijd *grappig* en *leuk*.'

'*Merde*,' zei Alex sissend. Dat was Frans, maar toch begreep ik het. Het klonk net als merda, en dat is Braziliaans. En wat dat betekent, weten jullie al.

'Merde,' siste Alex nog eens. 'Als pa dat ziet, is het uit met het meisjesbezoek. Vooruit, weg met jullie. Eruit!'

We namen tante Liesbeth bij de hand en liepen weg.

'Morgen krijgen we familiebezoek,' riep Alex ons achterna in het trappenhuis. 'En hoe zit het met jouw feestje van zaterdag?'

'Ik haal je wel op,' riep ik terug. 'Zaterdag om vier uur. Neem een slaapzak mee om te overnachten.'

Flo keek me verbijsterd aan. Maar nu moesten we eerst maken dat we wegkwamen.

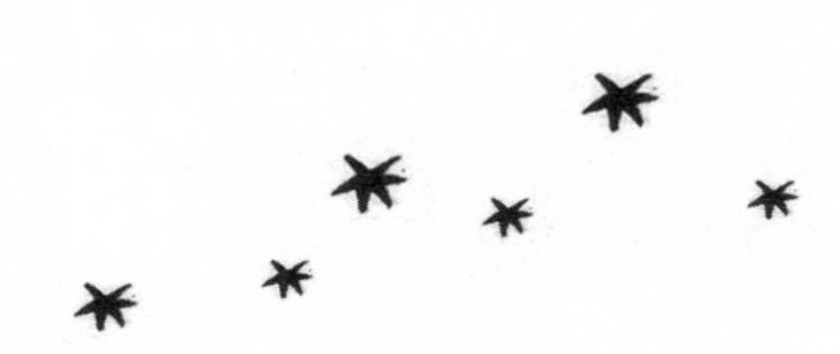

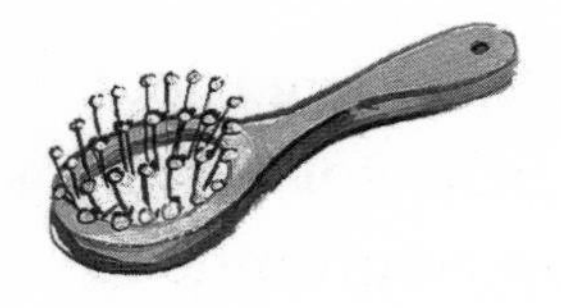

MIJN TANTE WORDT OOM

'O, wat vreselijk!' riep Clarissa.

Clarissa is de kapster die bij ons om de hoek woont. Flo en ik hebben een keer haar zieke kat gered.

En nu moest Clarissa tante Liesbeth redden.

Ze was allang weer rustig geworden en hikte de hele terugweg van de lach. 'Knip knip, grappig, knip knip, leuk.' Maar we wisten zeker dat oma het nieuwe kapsel van haar dochter niet grappig zou vinden, en ook niet leuk.

Dus vertelden we Clarissa wat er was gebeurd, en lieten we haar plechtig beloven dat ze oma niets zou vertellen. Ook tante Liesbeth moest dat beloven. Ik kon alleen maar hopen dat ze zich eraan zou houden.

'Ik ben bang,' zei Clarissa, nadat ze het hoofd van mijn tante van alle kanten had bekeken, 'ik ben bang dat ik hier alleen maar een heel kort stekeltjeskapsel van kan maken.'

Een uur later stonden we bij oma in de boekwinkel. Ze probeerde net de moeder van een tweeling de boeken van *De dolle tweeling* uit het hoofd te praten toen we binnenkwamen met tante Liesbeth. Buiten regende het alweer en we hadden mijn tante een geel regenmutsje opgezet.

Het was Flo's idee geweest om het in de boekwinkel aan oma te vertellen. 'Dan kan ze niet zo kwaad worden,' zei Flo. Dat geloofde ik ook, vooral als er klanten bij waren, zoals nu.

De tweelingmoeder bladerde in *Dubbele Lotje*, dat oma haar in haar handen had gedrukt. Toen oma zich naar ons omdraaide, greep ik mijn kans.

'Je wilde toch weten wat er met de krullen van tante Liesbeth zou gebeuren als je haar haren zou afknippen?' zei ik.

'Dat hebben we voor je uitgezocht,' voegde Flo eraan toe.

En voordat oma iets kon zeggen, trok tante Liesbeth het kapje van haar hoofd. 'Knip knip,' zei ze.

'Ik neem *Dubbele Lotje*,' zei de klant. Maar oma zag er opeens uit alsof er geen lucht meer in de boekwinkel was.

De klant moest nog drie keer zeggen: 'Ik wil graag het boek *Dubbele Lotje,*' voordat oma in staat was om te antwoorden.

'Loop naar de maan met uw *Dubbele Lotje,*' riep ze met schelle stem. De klant liep geschrokken de winkel uit en oma liet een keur aan scheldwoorden op ons los.

Gelukkig nam opa het wat beter op. 'Die lange haren waren sowieso onpraktisch,' zei hij, toen we met oma en tante Liesbeth in De Parel van het Zuiden waren. 'En dat korte haar staat onze Liesbeth best leuk.'

'Vind ik ook,' zei Penelope, die met vier borden op haar armen langs ons liep. Het restaurant was vandaag voor de verandering eens halfvol en Dwerg had een nieuwe keukenhulp. Het was de oma van Sol, die niet eens geld wilde voor haar werk.

'Zulke mensen zijn zeldzaam,' had papai gezegd. En toen hij tante Liesbeth zag, moest hij glimlachen, hoewel zijn ogen er nog steeds erg dof uitzagen. Ook vandaag had hij weer de hele ochtend op bed gelegen.

'Nu heeft Lola een oom!' zei Dwerg.

'Mooie oom,' zei oma, en ze keek kwaad naar ons.

We zeiden voor de honderdste keer die dag sorry, en toen trok ik Flo aan haar mouw het kantoor in.

Ik wist immers nog steeds niet waarom ze niet boven in de werkkamer was geweest, maar buiten op straat.

'Ik was in de werkkamer,' zei Flo. 'Maar toen ik jouw stem hoorde, ging ik heel snel naar buiten.'

'Hoe bedoel je, naar buiten?'

Flo giechelde. 'Uit het raam natuurlijk, en toen naar beneden met de ladder.'

'Oef!' zei ik. Ik was de ladder van die steiger helemaal vergeten. 'En daarvoor? Wat ben je te weten gekomen?'

'De datum waarop hij het stuk moet inleveren,' zei Flo. 'Die stond in zijn agenda. Het is inderdaad komende woensdag, zoals Alex al zei. Zelfs het adres van de *Scene* stond erbij.'

'En wat stond er op de computer?'

Flo liet haar schouders hangen. 'Daar kon ik niets mee doen,' zei ze. 'Die rotkerel heeft een code ingesteld.'

'Een *wat*?'

'Een *code*, Jane Fond. Een geheim wachtwoord dat je moet intypen voordat je iets kunt doen.' Flo keek me wanhopig aan. 'Nu weet ik het ook niet meer.'

Ik legde mijn hand op de schouder van mijn vriendin. 'Dat geeft niets,' zei ik. 'Gelukkig heb je mij en mijn ascendant nog.'

MIJN ASCENDANT EN HET CODEWOORD

'Wat ben je vroeg,' zei Alex toen ik zaterdag om half-vier bij hem aanbelde.

Dat was ook zo. Eigenlijk hadden we om vier uur afgesproken. Flo en Penelope zouden pas over een half uur aanbellen. Penelope had opa's auto geleend om ons naar de vader van Frederike op het platteland te brengen.

Flo was nog steeds kwaad dat ik de zoon van de vijand op mijn feest had uitgenodigd.

'En als iemand nou eens over het restaurant begint?' had ze kwaad gezegd. 'En als Alex de gasten over jou vraagt? En als Penelope onder het rijden over De Parel van het Zuiden begint? En als ze Alex vraagt wat voor werk *zijn* vader doet? Heb je daar eigenlijk over nagedacht?'

Ja, dat had ik. En Flo had wel gelijk. Het woordje *als* pleitte tegen mijn uitnodiging. Maar papai zegt

altijd: 'Soms is de buik sterker dan het hoofd,' en nu voelde ik wat hij daarmee bedoelde.

Bovendien was het tijdstip waarop ik Alex afhaalde perfect, want toen ik boven aankwam was de uitslover met Pascal naar de dierentuin.

Maar toen ik Alex vroeg of we voor het feest nog even mijn ascendant konden uitrekenen, aarzelde hij.

'Mijn pa was eergisteren best kwaad, Lola. Niet vanwege dat haar, want daar wist hij gelukkig niets van. Maar hij denkt dat we aan zijn bureau hebben gezeten omdat er een la open was en er in zijn agenda was gebladerd.' Opeens fronste Alex zijn voorhoofd en keek hij me heel vreemd aan. 'Zeg, is Flo eergisteren misschien boven geweest?' zei hij zacht.

'Flo?' piepte ik, en ik probeerde wanhopig om niet rood te worden. 'Hoe kom je daar nou bij? Waarom zou Flo naar boven willen gaan?'

'Is ze boven geweest?' Alex hield me vast met zijn blik en het leek of er in zijn hoofd iets knetterde.

'Nee,' zei ik luid en duidelijk. 'Nee, natuurlijk niet. Je hebt toch zelf gezien dat ze buiten was.'

Alex knikte. Toen schudde hij zijn hoofd, snel en met kleine schokjes, alsof hij een gedachte wilde verdrijven. 'Goed, dan gaan we nu je ascendant uitrekenen. Pa heeft de computer met een wachtwoord

beveiligd, maar je hoefde geen spion te zijn om dat uit te vinden. Drie pogingen en ik had het. Wat is er?' Alex draaide zich naar mij om. 'Gaan we nog naar boven, of niet?' Ik beet op mijn lip. De halve nacht had ik wakker gelegen en mezelf moed ingepraat om langs dat monster boven aan de trap te lopen. Maar nu trilden mijn knieën weer als een gek.

'Je moet mijn hand vasthouden,' fluisterde ik. 'Ik ben bang... om weer naar beneden te vallen.'

Alex grijnsde, maar pakte toch mijn hand. Met dichtgeknepen ogen liet ik mij door hem omhoog trekken, tree voor tree, langzaam, als een oud omaatje.

'We zijn er,' zei Alex. Voorzichtig, heel voorzichtig, deed ik mijn ogen open. Ik was helemaal vergeten om Flo te vragen of er boven nog meer van die akelige kikkers waren, maar de kust was veilig. In de kamer bevonden zich alleen een enorme wandkast, stapels tijdschriften en het bureau. Daarop stond de computer en toen Alex hem aandeed, ging ik achter hem staan. En hield mijn adem in.

Ik zag niet eens hoe Alex mijn geboortedatum intypte op de website. Ik kon alleen maar denken aan het kleine gele mapje dat na het intypen van het wachtwoord op het scherm was verschenen. Het

stond midden op het beeldscherm en had de naam: 'Top en flop van het jaar'. Ik had er alles voor over gehad om dat mapje uit de wereld te toveren. Om het gewoon te laten verdwijnen, tot-nooit-meer-ziens.

'Vreemd.' Alex schudde zijn hoofd en wees naar het beeldscherm, waar het programma kennelijk net mijn ascendant had uitgerekend. 'Hier staat dat je kreeft bent. Dat past echt helemaal niet bij je.'

'Ach,' zei ik. 'Dat geeft niets. Zolang ik geen kikker ben, vind ik alles best. Kom op, we moeten gaan.'

Er werd al aangebeld, en toen ik Alex weer met dichtgeknepen ogen naar beneden volgde, dacht ik dat we eigenlijk zelf op het codewoord hadden kunnen komen, als we iets beter hadden nagedacht.

Maar hoe we na twee mislukte pogingen nog ongemerkt bij de computer moesten komen, was me meer dan ooit een raadsel.

En hoe ik verder moest liegen tegen Alex ook.

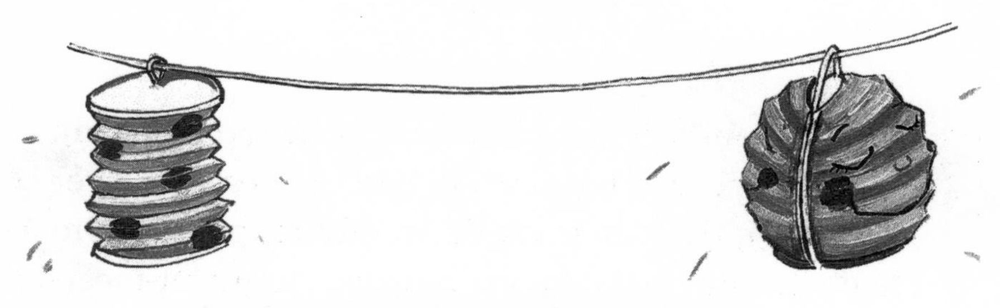

TWEE OORVIJGEN EN GEEN KUS

Flo had niet bang hoeven te zijn dat Penelope tijdens de rit iets verkeerds zou zeggen of vragen. Voor de zekerheid was ik gaan zingen, maar omdat Penelope nog stiller was dan in de afgelopen dagen, kon ik al na het derde lied ophouden.

'Ik hoop dat het een ontzettend leuk feest wordt,' zei ze toen we afscheid namen. Haar stem klonk dof, maar ik was ondertussen al in zo'n feestelijke stemming dat ik alle grijze wolken van zorgen liet verdwijnen.

Dat hadden de weergoden kennelijk ook besloten. Om de dag te vieren was de lucht net zo blauw als in een prentenboek.

En Frederike had niets te veel gezegd. Het huis van haar vader was prachtig. Een echte Bolderburenboerderij, met zeven kippen, drie katten en een oud schaap dat mevrouw Wol heette en

op haar rug helemaal bedekt was met confetti.

'Ha, eindelijk,' riep Frederike, en ze zwaaide naar ons vanuit een van de bovenste ramen. Dat ik Alex zou meebrengen had ik haar al door de telefoon gezegd.

'Vooruit, kom binnen. Emil bakt net taarten en ik heb hulp nodig in de tuin.'

Emil was de vader van Frederike, een grote man met kort stekeltjeshaar en een diepe kuil in zijn kin. Als begroeting bood hij ons zijn elleboog aan, omdat zijn handen in een enorme kom met taartbeslag zaten.

Toen gingen we met Frederike de tuin versieren. Het was eigenlijk meer een park dan een tuin, met appelbomen en eikenbomen om in te klimmen en een enorme trampoline, waarop Alex de ene salto na de andere maakte, terwijl wij lampions ophingen en fakkels neerzetten.

'Die kan beter springen dan ik,' zei Frederike verbaasd.

'Hij komt uit Parijs,' zei ik trots. 'En skateboarden en ascendanten uitrekenen kan hij ook.'

'Dat vroeg Frederike helemaal niet,' bromde Flo. Toen Frederike het huis in ging om serpentines te halen, siste Flo in mijn oor: 'Kijk maar uit dat je van verliefdheid niet je verstand verliest.'

'Zeg luister eens,' viel ik boos uit, 'toevallig ben *ik* achter de code gekomen! En toevallig komt daar net iemand aan die verliefd is op *jou*. Maar daar wil mevrouw Flo natuurlijk niet over praten!'

Flo draaide zich snel om. Sol stond achter haar met een scheve grijns. Hij had niet gehoord wat ik zei, maar toch werd Flo rood tot over haar oren.

'Ik moet even naar de wc,' mompelde ze, en ze liep langs Sol naar het huis. Ondertussen waren ook de andere gasten aangekomen: Sila en Riekje, Ansumana en Jonas, de Kusmachine Mario – en helaas ook Annalisa. Dat had ik Frederike niet uit haar

hoofd kunnen praten. Ze droeg een roze minirokje en roze lipstick, en toen ze Alex op de trampoline zag, begon ze weer zo stom te giechelen dat ik naar haar toe ging. 'Hou eens op met dat stomme gelach, roze suikerspin,' snauwde ik.

Annalisa hapte beledigd naar lucht en wilde net antwoord geven toen de vader van Frederike de tuin in kwam.

'Wanneer begint jullie disco eigenlijk? Ik heb de speakers buitengezet, dan kunnen jullie dansen in de tuin.'

'Als het donker wordt,' zei ik, want een echte disco begint 's avonds. Toen wilden we eerst eens de schuur bekijken waar we die nacht zouden slapen. Hij lag achter het huis en was zo groot als het huis van de uitslover. Op de houten balken onder het plafond zaten vogelnesten.

We legden onze slaapzakken op het hooi. Sol legde de zijne naast die van Flo. Ik legde de mijne naast die van Alex. Ik bedacht dat ik in mijn hele leven nog nooit zo'n zin had gehad om te gaan slapen.

Maar nu was het natuurlijk nog veel te vroeg om te gaan slapen. We liepen de tuin in, stopten onszelf vol met taart, speelden tikkertje-standbeeld tussen de bomen en sprongen op de trampoline, totdat de

stukken taart in onze buiken ook salto's begonnen te maken.

Sol en Alex deden een echte saltowedstrijd, wat er vreselijk cool uitzag. Sol was namelijk ook een heel goede springer.

Toen het donker werd, stak de vader van Frederike de fakkels en lampions aan en ging de Kusmachine het huis in om zijn cd's te halen. Mijn verjaardags-cd van Penelope had ik natuurlijk ook meegenomen, maar toen plotseling 'Cho-co-la-te' op volle kracht door de tuin schalde, was het of dat lied een mes in mijn hart stak. De laatste keer dat ik het had gehoord, was de uitslover in het restaurant geweest, waarmee alle narigheid was begonnen.

'Wil je dansen?'

Alex stond voor me en stak zijn hand uit. Ik schudde mijn hoofd omdat de tranen in mijn ogen brandden. Opeens vond ik ons hele plan ontzettend stom en kinderachtig. Maandag begon de school weer, en als het artikel over het restaurant op woensdagmiddag verscheen, dan hadden we met een beetje mazzel nog maar twee middagen.

En Alex, ach Alex... Hoe kon ik verder tegen hem liegen? Zou alles makkelijker zijn als ik minder lief tegen hem was? Flo had gelijk, Alex was de zoon van de vijand en ik kon eigenlijk onmogelijk verliefd op hem worden.

'Nee,' zei ik zo onvriendelijk mogelijk. 'Ik heb geen zin om te dansen.'

De glimlach van Alex verstarde en mijn hart voelde als een steen.

'Maar ik wel,' zei een stem achter Alex. Het was Annalisa. Nu giechelde ze niet, ze glimlachte. Een slijmerige, suikerzoete roze glimlach. En voordat Alex ja of nee kon zeggen, trok ze hem mee op het dansgedeelte, waarop in elke hoek een brandende fakkel stond. Daar danste de Kusmachine al met Sila en Frederike danste met Ansumana en Sol liet Flo door de lucht wervelen, zodat je duizelig werd als je ernaar keek.

Maar ik had alleen oog voor Alex. Hij draaide om Annalisa heen, en die lachte en klapte in haar handen en liet haar stomme haar door de lucht zwaaien.

Na 'Cho-co-la-te' kwam een hiphoplied en na het hiphoplied kwam 'Rock & Boogie', en terwijl Annalisa zonder onderbreking met Alex danste, stond ik

naast de appelboom en voelde een brandende woede opkomen.

Na 'Rock & Boogie' kwam 'Jij, alleen jij', wat een langzaam lied was. Alex keek naar me.

Hij hield zijn hoofd schuin en keek me vragend aan, maar ik hield koppig mijn armen over elkaar. Toen haalde hij zijn schouders op en danste verder met Annalisa. Ze dansten dicht bij elkaar, steeds dichterbij, en het was alsof mijn keel werd dichtgeknepen.

Toen het lied was afgelopen, laste de vader van Frederike een pauze in. Alex, Sila en Ansumana gingen het huis in en Frederike zwaaide naar me. 'Maar Lola, wat sta je daar nou?'

Ik haalde mijn schouders op. 'Ik hou gewoon niet van dansen.'

Frederike wees naar haar voorhoofd. 'Kom nou. Bij het openingsfeest van jullie restaurant danste je nog als een gek. En weet je waaraan ik net dacht? Als je daar een kinderdisco zou houden, dan zou dat een enorm succes zijn, denk je ook niet?'

Geschrokken keek ik naar het huis. Alex was gelukkig niet in zicht. Kinderdisco in De Parel van het Zuiden, dacht ik. Hoe kwam Frederike op dat idee?

'Kinderdisco in De Parel van het Zuiden?' riep nu ook Annalisa met een valse grijns. 'Weet je, mijn

vader zegt dat die tent het niet lang meer uithoudt. Gisteren waren we daar nog, wat een saaie boel zeg. En mijn moeder zegt dat het eten ook wel eens beter is geweest.'

Flo, die net op de trap naar het huis liep, draaide zich geschrokken om. De vader van Frederike had nog steeds geen nieuwe cd opgezet en Alex kwam net met twee glazen bowl naar beneden. Het leek of hij niets had gehoord.

Toch werd mijn hoofd zo heet dat ik dacht dat mijn oren zouden verbranden. Met één sprong was ik op de dansvloer en het volgende moment landde mijn hand op de wang van Annalisa.

Pats.

En nog eens *pats*.

Annalisa greep naar haar gezicht en toen trok ze

aan mijn haren en toen trok ik aan haar haren en ze krabde me op mijn arm en ik stompte haar, totdat we op de grond lagen en gevaarlijk dicht naar de fakkels toe rolden.

De anderen stonden nu om ons heen. De jongens waren aan het joelen en de meisjes gilden het uit. Alleen Sol en Flo probeerden ons uit elkaar te halen, maar ik was zo buiten mezelf van woede dat ik me bijna in Annalisa had vastgebeten.

Het was de vader van Frederike die ons uiteindelijk uit elkaar haalde. Als twee jonge hondjes hield hij ons bij de nek vast.

Annalisa huilde, net als die keer toen Flo haar een mep had gegeven in de klas. Ook toen had Annalisa een van haar rotopmerkingen gemaakt. Dat was toen Penelope nog in de vistent werkte.

'Je stinkt naar vis, net als je moeder!' had Annalisa tegen Flo gezegd. Toen ik aan dat zinnetje dacht, had ik haar het liefst nog een klap gegeven.

Maar Flo wierp me een waarschuwende blik toe en wees met haar hoofd naar Alex. Die stond daar met zijn twee glazen in zijn hand. Zijn blik ging heen en weer tussen mij en Annalisa. Ik rukte me los uit de greep van Frederikes vader en rende weg.

Helemaal aan het einde van de tuin stond een oude eik met een plateau erin. Daar klom ik op.

Intussen was het echt donker geworden. Ook de fakkels kon je vanaf hier niet meer zien. Alleen de sterren. Miljoenen sterren stonden aan de hemel, en ze glommen zo mooi dat het bijna pijn deed.

'Tien triljard,' zei een stem onder me. 'Er zijn tien triljard sterren, zeggen de astronomen. Ongelofelijk, hè?'

De stem was nu heel dichtbij. Ik probeerde mijn tranen in te slikken. Dat deed ook pijn, omdat mijn keel net zo aanvoelde als een dichtgebonden vuilniszak.

Alex ging naast me zitten. Een tijdlang zaten we daar gewoon en keken we naar de sterren.

Toen draaide ik me naar Alex en draaide Alex zich naar mij.

Hij kwam heel dicht bij mijn gezicht. Ik kon zijn bowladem ruiken en ik hoorde mijn hart bonzen.

'Ik moet je wat vertellen,' perste ik eruit.

Alex schudde zijn hoofd. 'Dat hoef je niet. Dat met Annalisa spijt me. Ik was alleen maar kwaad omdat jij niet met me wilde dansen. Ik wil echt niets met haar. Ik vind jou leuk. Hier.' Alex hield een klein

doosje onder mijn neus. 'Je verjaardagscadeau. Helaas klopt het niet helemaal, maar ik hoop dat je er toch blij mee bent.'

Toen ik het doosje opendeed, zat er een klein hangertje in. Een klein zilveren leeuwtje aan een leren bandje.

Toen kon ik niet meer, ik moest huilen.

Mama zegt dat papai best wel een uitzondering is als het om huilende vrouwen gaat. De meeste mannen kunnen niets met huilende vrouwen.

Maar ook Alex was zo'n uitzondering. Hij zei niets en vroeg niets, hij sloeg alleen maar zijn arm om me heen en hield me vast.

Als alles voorbij is, dacht ik, als we dat hele gedoe met dat artikel achter ons hebben, dan vertel ik Alex de waarheid. Door die gedachte voelde ik me eindelijk wat beter.

Na een hele tijd liepen we zachtjes met een zaklantaarn de schuur in. De disco was voorbij en de anderen lagen al in hun slaapzakken. Alleen de plekken van Flo en Sol waren nog leeg, en toen Alex en ik met onze slaapzakken terug naar de tuin liepen, hoorden we Flo onder een appelboom giechelen.

We gingen onder de eik liggen en keken weer naar de sterrenhemel, totdat onze ogen eindelijk dichtvielen.

De volgende dag werden we na het ontbijt door Penelope afgehaald. Ze zag er nog slechter uit dan de vorige dag en zei de hele weg geen woord. Pas nadat ze Alex voor zijn huis had afgezet, draaide ze zich om naar ons.

'Ik wilde het jullie pas na het feest vertellen. Ik ga morgen naar Berlijn. De baan in het Grand Hotel is nog vrij. Meneer Stuck heeft me een week op proef aangeboden en als het me bevalt, kan ik in december beginnen.'

Flo hapte naar adem en ik trok Penelope aan haar arm, maar ze schudde alleen maar triest haar hoofd. 'Ik weet wat ik jullie aandoe,' zei ze zacht. 'Maar mijn besluit staat vast.'

FLO GEEFT HET OP EN IK GEEF GAS

Flo kromp op de autostoel in elkaar als een leeglopende ballon. Ze draaide haar hoofd van me weg. Toen Penelope me thuis afzette, zei Flo niet eens gedag.

Maar ik zei ook niets. Niet tegen Penelope en niet tegen papai, die me binnen meteen in zijn armen wilde nemen.

'Lola, het was de beslissing van Penelope zelf, hoor je dat? En ze is daar eerst alleen maar op proef. Ze begint op zijn vroegst pas in december en tot dan blijft ze natuurlijk nog bij ons en...' *Pang*. Ik knalde mijn kamerdeur gewoon voor zijn neus dicht. Toen mama met taart naar huis kwam en op mijn deur klopte, hield ik me doof. En toen tante Liesbeth met haar stekeltjeskapsel en haar tuinbroek mijn kamer binnen kwam en 'Ola pelen' zei, duwde ik haar gewoon weer naar buiten.

Maar ik voelde me niet als een leeggelopen ballon. Integendeel. Ik voelde me zo vastberaden dat ik er bijna van ontplofte.

Nee, dacht ik. Ons plan was helemaal niet dom en kinderachtig geweest, zoals ik mezelf op het feest had wijsgemaakt. Ons plan was praktisch en geniaal. We hadden de uitslover bespioneerd. We waren bevriend geraakt met zijn zoons. We waren in zijn huis geweest, en bij zijn computer. Ik wist het codewoord en ik wist waar de artikelen waren. Ons doel lag binnen handbereik, en onze tijd kwam nog wel. We zouden het artikel van de uitslover wissen en zelf een prachtig nieuw artikel schrijven. Eind november zou het in de *Scene* staan en dan hoefde Penelope niet naar Berlijn te gaan, omdat papai haar nodig zou hebben in De Parel van het Zuiden.

Dat legde ik allemaal aan Flo uit door de telefoon, maar ze zei alleen maar: 'Tot morgen,' en hing op.

De volgende dag kwam Flo te laat op school. Ze zag eruit alsof ze de hele nacht wakker had gelegen, en voor het eerst sinds een halfjaar viel ze weer met haar hoofd op tafel in slaap.

Pas met rekenen werd Flo weer wakker. Meester Koppenrat gaf me mijn Hubba Bubba-kauwgum niet terug, maar daar had ik al op gerekend. Hij gaf me ook geen kikkersnoepjes, maar wel een zes voor

mijn rekenproefwerk – en we kregen allemaal een hele hoop huiswerk.

'Dat doen we vanavond wel,' zei ik op de terugweg tegen Flo. 'Nu gaan we eerst naar de uitslover!'

Flo slofte zwijgend naast me en bij de uitslover was niemand thuis. Maar zelfs dat kon me niet ontmoedigen. Het was alsof ik hoop had voor tien.

'We proberen het later nog wel,' zei ik tegen Flo. 'Kom, dan gaan we eten in De Parel. Of wil je eerst nog naar huis om je spullen te halen?'

Terwijl Penelope in Berlijn was, zou Flo bij ons logeren. Maar ze wilde haar spullen niet halen.

'Eerst naar De Parel,' zei Flo. 'Penelope is haar koffer nog aan het inpakken. Ik heb geen zin om toe te kijken.'

Opa was naar het ziekenhuis gereden om Berg op te halen. In het restaurant waren vandaag drie tafeltjes bezet. Hoewel dat niet erg veel was, zag papai er helemaal verloren uit zonder Penelope.

Aan één van de tafels zat de Braziliaanse vrouw met haar drie dochters, die er kort geleden ook waren geweest. Ik zag dat ze papai een stapel groene briefjes gaf.

'Leg die even neer,' zei papai, en hij drukte de stapel in mijn hand. Op de briefjes stond:

Benefietconcert
voor de Braziliaanse straatkinderen
Zaterdag, 23 oktober, van 16:00 tot 18:00

De Hamburgse muziekproducent Sam Kent
presenteert een eenmalig benefietconcert
met de beroemde Duitse zanger en liedjesschrijver
ROLF ZUCKOWSKI *voor de kinderen,*

en de vurige Braziliaanse band
EDUARDO MACEDO & KAKAO COMPANY

voor de oudere toeschouwers.
Kids, teens & ouderen,

kom allemaal naar deze geweldige middag!

De opbrengst gaat naar de Braziliaanse straatkinderen.

Terwijl ik dit las, moest ik denken aan de woorden van Frederike op het feest, en toen de klanten voor de lunch weg waren, flapte ik haar idee eruit.

'Een kinderdisco in De Parel van het Zuiden?' Papai schudde zijn hoofd.

Flo zei sowieso geen woord, maar opa en Berg keken elkaar aan. Ze waren net in het restaurant aangekomen. Het been van Berg zat nog steeds in het gips, maar hij wilde toch werken.

'Dat is eigenlijk helemaal geen slecht idee, Fabio,' zei opa. 'Ik wil wel wat flyers maken, die we dan bij het concert kunnen uitdelen.'

'*Benefiet*concert,' verbeterde ik opa, en meteen daarna fronste ik mijn voorhoofd. 'Wat betekent benefiet eigenlijk?'

'Dat betekent dat het entreegeld naar mensen in nood gaat,' legde opa uit. 'En in dit geval gaat het geld naar de Braziliaanse straatkinderen.'

'Maar wij zijn ook in nood,' zei ik. 'En Braziliaans zijn we ook. Waarom geven ze dat geld niet aan ons?'

Daar moest opa om lachen en papai zei: 'Wacht maar totdat we naar Brazilië vliegen. Dan zul je zien dat wij helemaal niet in nood zijn. Niet in vergelijking met de kinderen die op straat moeten leven van rotte vissenkoppen en afgekloven kippenbotjes. Zoiets kun je je in Duitsland helemaal niet voorstellen.'

Op dat moment wilde ik me dat ook niet voorstellen. Ik trok opa aan zijn mouw. 'Maar dat met die flyers is echt een goed idee. We nemen de men-

sen na het concert allemaal mee naar De Parel van het Zuiden voor een Braziliaans feest.'

Papai schudde weer met zijn hoofd, maar opa keek alsof hij mijn voorstel het beste vond dat hij sinds lange tijd had gehoord.

In elk geval kneep hij met zijn vingers mijn lippen op elkaar en zei: 'Zeg eens: Hamerhaai.'

'Hmrhuuu,' zei ik.

Toen nam ik mijn zwijgende vriendin bij de hand en trok haar mee naar buiten. Het was al halfvier – de hoogste tijd voor een tweede poging bij de uitslover.

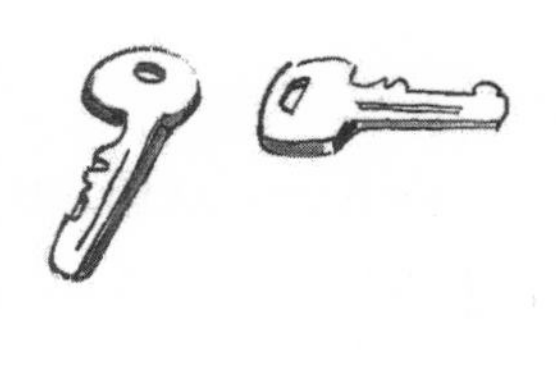

BILJARTBAL NUMMER 8

Spionnen zijn ware meesters in het bedrog, stond in het boek dat ik van oma voor mijn verjaardag had gekregen. *Om hun missie goed te volbrengen, kunnen ze geen gewetensbezwaren hebben. Ze mogen niet aarzelen om in te breken of het vertrouwen van andere mensen meedogenloos te misbruiken. Niet zelden hebben spionnen door list en bedrog de loop van de geschiedenis beïnvloed, of zelfs bepaald.*

De loop van onze geschiedenis begon ermee dat de uitslover de deur voor ons opendeed.

'Jullie hebben geluk,' zei hij toen hij Flo en mij zag. 'We wilden net gaan, maar als jullie snel zijn, kunnen jullie nog dag zeggen.'

Dag zeggen? Ik kreeg het warm en koud tegelijk.

'We gaan weg!' riep Pascal. Hij kwam aanlopen met een enorme opblaaskrokodil onder zijn arm.

'Daar moet eerst de lucht uit,' zei de uitslover. 'En

ik denk dat het sowieso te koud is om te zwemmen. Laat dat ding maar hier.'

'Nee, dat doe ik niet,' zei Pascal. Toen stond Alex in de gang. Hij zag er een beetje opgelucht en een beetje ongelukkig uit, waardoor ik het nog warmer en kouder kreeg.

'Waar gaan jullie dan naartoe?'

'Naar Sylt. Je weet wel, dat eiland,' zei Alex. 'Maar we zijn woensdag alweer terug.'

Toen liep Flo naar de deur toe. 'Dat was het dan,' zei ze. 'Dag, het was stom om jullie gekend te hebben.'

Pang! Ze knalde de deur dicht. Pascal duwde zijn onderlip naar buiten. Hij zag eruit alsof hij elk moment kon gaan huilen.

De uitslover glimlachte. 'Je hebt wel een beleefde vriendin uitgezocht, Jane Fond.'

Ik slikte en slikte, en als Alex mijn hand niet had vastgepakt, was ik waarschijnlijk achter Flo aangegaan.

'Kom Pascal, dan pakken wij alvast de spullen in,' zei de uitslover, en hij knipoogde naar Alex.

Maar Pascal drukte zijn vader de krokodil in de armen en ging naast Alex staan.

'Nee,' zei hij. 'Jij moet inpakken. Ik blijf hier bij Alex.'

‘Dat doe je niet,’ zei Alex zacht en hij boog zich voorover naar Pascal. ‘Kom, wees eens lief. Ga met papa mee en laat ons heel even alleen, oké?’

‘Nee,’ zei Pascal weer. Toen pakte Alex zijn kleine broertje bij zijn kraag en kreeg zijn stem opeens een heel dreigende klank. ‘Klein ettertje, rot op. Begrepen?’

Pascal begon te huilen en ik schrok. Zoiets ruws had ik van Alex helemaal niet verwacht.

‘Hé, hé.’ De uitslover duwde Alex een stukje terug en sloeg een arm om Pascal heen. ‘Kom nou maar mee, in mijn eentje krijg ik die krokodil er nooit in,’ zei hij.

Met tegenzin liet Pascal zich wegtrekken. Voordat hij de deur dichtdeed, draaide de uitslover zich nog een keer om. ‘Maar ga niet te lang tortelen, ik wil niet in de file van de spits komen.’

Alex kreunde zacht, maar het leek of hij weer gekalmeerd was.

‘Het was pa’s idee,’ mompelde hij toen de andere

twee eindelijk buiten waren. 'Lola toch, het zijn maar twee dagen. Woensdag zijn we in elk geval weer terug, dan moet mijn pa ook zijn stukken inleveren. En zondag vliegen we pas terug naar Parijs.'

Ik leunde tegen de biljarttafel. Heel even overwoog ik of ik Alex alles moest vertellen.

Toen zag ik de bal.

Een kleine, zwarte biljartbal, met nummer acht. Maar hij lag daar niet om mee te biljarten. Hij lag tussen de rode drie en de gele één, en het was een sleutelhanger. Met een hoop sleutels eraan.

Ik heb altijd gevonden dat je eerst moet nadenken voordat je iets doet. Maar deze keer dacht ik helemaal niet na. Ik pakte hem. Bliksemsnel, toen Alex naar het keukenraam liep dat door de wind was dichtgevallen.

De sleutels brandden als vuur in mijn hand, en toen Alex zich weer naar me omdraaide, stond ik al bij de deur. Ik zei niets. Ik omklemde alleen maar de sleutels en rende toen naar buiten. Ik rende de trap af, langs Pascal en de uitslover, die net bezig was om vloekend de grote opblaaskrokodil op de achterbank van zijn cabriolet te persen.

FLO'S VERHAAL

Het had niet beter kunnen gaan.

De vijand was weg, we hadden de sleutel van zijn woning, we hadden het wachtwoord van zijn computer en we wisten wanneer hij zijn artikel moest inleveren.

Het had allemaal niet beter kunnen gaan, maar trots was ik niet. Wat we van plan waren, was een inbraak. Inbrekers gaan naar de gevangenis, net als bankrovers en waterpistoolbandieten.

'Wij zijn kinderen,' zei Flo toen we 's avonds in bad zaten. Toen ik haar de sleutel had laten zien, kwam er een grijns op haar gezicht en ging ze eindelijk weer praten. 'Kinderen komen niet in de gevangenis,' zei ze. 'En bovendien hebben we de sleutel. We hoeven helemaal niet in te breken. We kunnen gewoon de deur opendoen en rustig aan de slag gaan. En als er straks iets goeds in de *Scene* staat, dan... dan denkt Penelope misschien nog eens na over Berlijn.'

's Nachts in bed was ik Jane Fond en brak ik in bij een flat. Het was een heel hoge flat en ik moest op een smalle ladder klimmen. Ergens tussen de achthonderdste en negenhonderdste trede sliep ik in. In mijn droom klom ik verder. Ik was al boven de wolken toen ik uitgleed. En viel. Badend in het zweet klom ik weer in mijn bed en tastte ik naar het lichtknopje.

Maar er was al licht.

Het was het licht van een zaklantaarn en het kwam uit mijn superkosmosruimteschip. Ook hoorde ik een geluid. Het was een soort gepiep en eerst dacht ik dat het hamster Harms was. Maar het kwam ook uit het ruimteschip. Het duurde even voordat ik begreep dat het Flo was. Ze huilde. Heel zachtjes. Toen moest ik denken aan dat boek. *De nacht van de zingende walvissen.* Ik had het in mijn ruimteschip laten liggen.

'Flo?' Ik klopte op de doos, heel voorzichtig.

Geen antwoord.

'Flo...? Flo, zeg alsjeblieft iets... Flo, mag ik... naar binnen?'

'Hij is me vergeten.' Flo's antwoord kwam zo onverwacht dat ik terugdeinsde. Maar ze praatte verder, zacht, zonder te stoppen, alsof ze het tegen zichzelf had.

'Mijn vader is me vergeten, in een kroeg, in de

nacht voor mijn eerste schooldag. Hij dronk. Bier en whisky, elke dag, elke avond, sinds ik me kan herinneren. Op de avond voor mijn eerste schooldag moest Penelope optreden. Ergens in een andere stad. Toen nam hij me mee. Hij zei dat we mijn eerste schooldag gingen vieren. En hij heeft hem gevierd ook! Hij sleepte me van de ene bar na de andere. En dat waren geen Parels van het Zuiden. Dat waren donkere, volgerookte schoenendozen. In één daarvan ben ik in slaap gevallen. Toen ik wakker werd, was hij weg. Er zaten nog twee dronken mannen in die kroeg. De barman had helemaal niets gemerkt. En toen ik begon te huilen, wilde hij niet eens de politie bellen. Hij heeft me eruit gezet, omdat hij bang was voor de goede naam van zijn tent.

Toen ben ik door de straten gaan lopen en een taxichauffeur heeft me naar de politie gebracht. Penelope haalde me de volgende dag op bij een huis van de kinderbescherming. Mijn vader lag in het ziekenhuis. Hij had een alcoholvergiftiging, maar voor mij was hij al dood. Dat was ik voor hem ook, denk ik, want hij is nooit meer teruggekomen. Penelope heeft toen zijn spullen voor de deur op straat gezet. En ze liet nieuwe sloten op de deuren zetten. Een jaar geleden kwam de eerste brief. Dat pakket kwam twee weken geleden. Maar dat weet je al. Jij

bent helaas niet echt een goede spion. Je hebt die brieven in de verkeerde volgorde teruggelegd. En dat boek heb je uit de boekwinkel van je oma, hè?'

Ik knikte, maar dat zag Flo natuurlijk niet. Ze zat nog steeds in mijn ruimteschip en ging zachtjes verder. 'Soms, als hij bijna nuchter was, vertelde mijn vader over de walvissen. Hoe ze door de walvisjagers met harpoenen werden gevangen en gedood. Hoe weinig er nog zijn op de wereld. En hoe mooi ze kunnen zingen. Hij vertelde me dat hij daar een boek over wilde schrijven, voor mij. Zo, nu weet je mijn geheim.'

De tranen stroomden over mijn wangen.

Hamster Harms was wakker geworden. Hij scharrelde wat rond in zijn kist en piepte.

In mijn ruimteschip was het stil.

Mama is ooit eens bij me komen zitten in het ruimteschip toen ik heel erg verdrietig was. Dat was erg krap. Maar mama is groot en ik ben klein. En zoals Flo al zei, wij zijn kinderen.

Dus toen ik met mijn dekbed bij haar in het ruimteschip kroop, was er precies genoeg plaats voor ons allebei.

TOP EN FLOP IN HAMBURG

Mama moest drie keer roepen voordat we de volgende dag uit het ruimteschip kropen. Flo's gezicht was helemaal verkreukeld en haar ogen waren opgezwollen, maar tijdens de les deed ze gewoon mee. In de pauze speelde ze zelfs met Moritz en Lina, onze petekinderen uit groep 3. Ze vochten op de worstelbrug. Lina's zwarte vlechtjes wipten op en neer.

Wat is Lina toch klein, dacht ik. Was Flo ook zo klein geweest toen ze in groep 3 kwam?

Na de tweede pauze hadden we nog een uur lang rekenles en meester Koppenrat zei dat hij volgende week weer een rekenproefwerk zou geven. Maar daarvoor zouden we vanmiddag zeker niet kunnen leren.

Mama had nog de hele middag dienst en meteen na school gingen we naar de Speicherstadt, naar de woning van de uitslover.

'We hebben zes uur de tijd,' zei Flo. 'Zes uur moet eigenlijk genoeg zijn. Vooruit, doe die deur open.'

Ik haalde de sleutel uit mijn jaszak, maar ik kon de deur niet openmaken, dat moest Flo doen.

Op straat was niemand, in de gang was niemand en in het huis was niemand. Maar binnen in mij was de hel losgebarsten. Mijn hart trommelde als een orkest van honderd man, en dat ging maar door en door.

'Het codewoord,' zei Flo toen we voorbij het monster op de trap waren. 'Wat is het codewoord?'

Toen moest ik voor het eerst lachen. 'Raad eens,' zei ik.

Flo vertrok ongeduldig haar gezicht. 'Weet ik veel! Repelsteeltje?'

'Nee,' zei ik, en mijn grijns werd nog breder. 'Maar met een sprookje zit je er helemaal niet zo ver naast.' Ik wees naar de deur. 'Denk eens aan wie daar op de bovenste trede zit.'

Flo fronste haar voorhoofd. Toen gilde ze het uit. 'Ik geloof het niet,' zei ze. Ze typte het codewoord in – en voor ons op het scherm verscheen het gele mapje. We hoefden het alleen maar aan te klikken en we waren binnen.

Tweeëntwintig restaurants had de uitslover getest. In een paar daarvan hadden Flo en ik vorige

week tevergeefs gezocht. De Parel van het Zuiden kwam als zevende. Flo las voor:

De Parel van het Zuiden
Het Braziliaanse havenrestaurant met deze pijnlijke naam doet denken aan een griezelfilm. Terwijl de baas zich achter de bar verveelt, gooit de kok in de keuken de borden om zich heen en knoeien minderjarige personeelsleden in de wasbak met glazen. De incompetente bediening serveert koude vis en warme wijn, en de tingeltangelmuziek die uit de goedkope installatie klinkt, begeleidt de ratten die enthousiast de samba dansen. Als nagerecht is er een bak ijswater, vers over uw broek heen.
Als u uw ergste vijand een streek wilt leveren, dan moet u hem zeker De Parel van het Zuiden aanbevelen. Zo niet, dan is mijn advies: loop alstublieft met een grote boog om de grootste flop van Hamburg heen.

Mijn hart bonsde nu niet meer. Ik keek Flo aan en zei: 'Vooruit, aan het werk!'

Uit mijn schooltas trok ik mijn spionagepen en een paar vellen papier en ik dacht even na. Het was belangrijk dat ik de juiste woorden vond. Ze moesten volwassen klinken en de mensen overtuigen.

Terwijl ik nadacht, zocht Flo in de andere artikelen naar nuttige zinnen en woorden. Uitdrukkingen

als *culinaire verleiding, romantische diners, overrompelend exotisch, hulpvaardig, stijlvol* en ook *hartverwarmend* konden we goed gebruiken.

Ik schreef een paar zinnen, dacht even na, schreef weer een paar zinnen, las nog een keer over wat de uitslover had geschreven over De Parel van het Zuiden, dacht weer even na – en net toen Flo zei: 'Laat mij ook eens even,' was ik klaar.

'Luister,' zei ik, en ik las voor wat ik had geschreven. Mijn vriendin knikte.

'Dat is goed,' zei ze. 'Dat is echt heel goed.'

'Natuurlijk is het goed,' zei ik.

Toen wisten Flo en ik de tekst van het artikel van de uitslover. Samen typten we het nieuwe artikel in.

Het was veel langer dan het artikel van de uitslover. Maar Flo zei: 'Dat geeft niets,' en ik voelde me beter dan ik me ooit in mijn leven had gevoeld.

Toen we om 16:58 uur het gele mapje weer hadden gesloten en de computer hadden uitgezet, lag er een grote glimlach op mijn gezicht.

'Nu moeten we alleen hopen dat de uitslover het artikel niet meer leest voordat hij het opstuurt,' zei Flo.

Ik schrok. Daar had ik nog helemaal niet aan gedacht.

'En stel nou...' begon ik. Verder kwam ik niet.

Want beneden ging de deur open en meteen daarna klonken er voetstappen op de wenteltrap. Snelle voetstappen. Zeer snelle voetstappen.

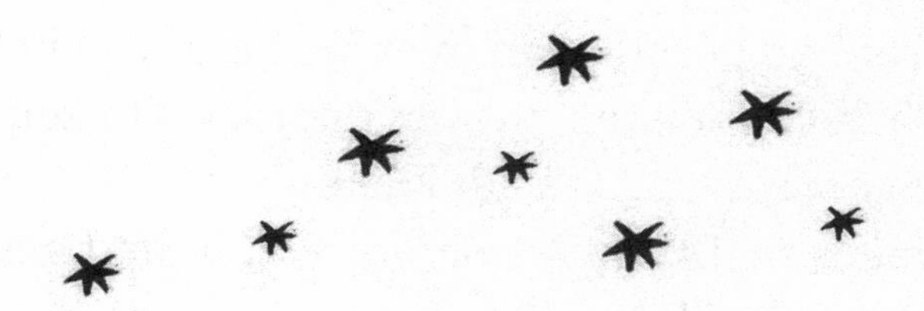

EN NU?

'De kast in,' siste Flo. Ze was zo bleek als een geest. 'Snel, de kast in.'

Een paar seconden later stonden we tussen leren jacks, jassen en schoenen. Ik had nog net tijd om mijn tas, mijn pen en de kladblaadjes te pakken.

Door de spleten van de kastdeur konden we de rug van de uitslover zien. Hij was achter de computer gaan zitten. Hij zette hem aan. Hij typte. Hij mompelde. Typte, klikte met de muis. Een korte vloek. Stilte. Weer wat geklik.

De uitslover stond op en pakte de telefoon.

Zwijgen, geschuifel van voeten.

'Hallo, Hannes? ... Hallo, ik ben het, Jeff. Hé man, alles is oké. Ik heb me rot gehaast. Ik heb je net gemaild. 'Top en flop' zit erbij. Kijk je even of het is aangekomen?'

Zwijgen, geschuifel van voeten. Ik klemde mijn

kladpapiertjes vast en probeerde niet te ademen.

'Heb je het? ... Mooi. Kun je het openen...? Ja? Goed, dan ben ik blij dat ik me heb gehaast. Hé, nogmaals sorry, ik dacht echt dat ik het morgen pas moest inleveren. Ik was ook al klaar, maar mijn webmail was weer eens uit de lucht, anders had je het maandag al gehad... Wat? ... Nee, geen probleem. Het regende keihard op Sylt en mijn oudste wilde sowieso weg. Hij is namelijk zo verliefd als een kikkerkoning... Hoe oud? Geen idee. Negen, tien, zoiets. Een heel schattige krullenbol. Een beetje getikt, maar dat vinden wij mannen nou eenmaal leuk. Nog één ding, dat artikel verschijnt toch in de laatste week van november? ... Mooi, dan is er nog tijd als er iets is. Goed, tot de volgende keer dan. *See you later*!'

Klik. Opgehangen. Een diepe zucht. Voetstappen naar de deur. Naar beneden: 'Zo jongens, ik ben klaar. Wat doen we, gaan we nog wat eten? Of eerst naar de slotenmaker om de nieuwe sleutels te halen?'

'Geen van beide.' Die stem kwam van beneden, van Alex. 'Laten we pizza's bestellen. Ik wil niet meer naar buiten.'

'WEL!' Die stem was van Pascal. 'Wel naar buiten! Ik wil naar McDonald's!'

Een zucht. Voetstappen terug. Terug... naar de kast. Steeds dichterbij. Je rook de aftershave door de kastdeuren heen.

Ik klampte me vast aan Flo omdat ik bang was dat we straks allebei uit de kast zouden donderen, of flauwvallen, of allebei. De rechterdeur van de kast ging open. Wij stonden links, en toen de hand van de uitslover licht over mijn schouder streek, voelde ik dat mijn linkerbroekspijp nat en warm werd.

De uitslover griste een dunne jas van een kleerhanger die vervolgens naast mijn hoofd heen en weer bungelde. 'Verdomde regen,' bromde hij in mijn oor.

Toen werd de kastdeur weer dichtgeslagen. *Bof.* Voetstappen. Stilte.

'Lola?' nu siste Flo in mijn oor. 'Lola, wat ruikt er zo vreemd?'

Ik. Ik rook zo vreemd. Ik had het in mijn broek gedaan.

Na een eeuwigheid sloop Flo naar buiten en liep naar het raam.

'De bouwsteiger,' fluisterde ze toen ze terugkwam. 'Hij is weg!'

Beneden klonk nu geschreeuw, heel hard. Het kwam van Pascal en meteen daarop brulde de uitslover: 'Nu is het genoeg, Pascal! We blijven hier en daarmee basta!'

ÉÉN-NUL VOOR BRAZILIË

Flo en ik bleven drie uur in de kast. Drie uur kunnen omvliegen als je op de kermis bent, of in het zwembad, of op een verjaardagsfeest met een trampoline. Drie uur in een klerenkast zijn voor je gevoel een afschuwelijke, eindeloze eeuwigheid. Maar het was de tijd die Flo en ik nodig hadden voordat we eindelijk onze schuilplaats durfden te verlaten. Op benen die wel van rubber leken liepen we heel langzaam naar de deur. Beneden maakte een man zich op de televisie druk over het Duitse voetbalteam. Flo sloop naar de rand van de wenteltrap. Ik stond met gesloten ogen achter haar.

'De kust is veilig.' Flo vormde de zin met haar lippen, zonder geluid te maken. We liepen heel zachtjes naar beneden, de gang in en loerden heel even naar de woonkamer, waar het drietal voor de televisie zat en naar voetbal keek – met hun ruggen naar ons toe.

Bijna moest ik lachen. Die ochtend had papai nog gezegd dat hij wou dat we in het restaurant een televisie hadden, omdat Duitsland tegen Brazilië moest spelen.

'BRAZILIË IN BALBEZIT EN ER IS GEEN VERDEDIGER TE ZIEN!' schreeuwde de commentator, en de uitslover riep: 'KEEPER, PAK DIE BAL, VERDORIE!' En toen kreunde hij en schreeuwde de commentator: 'ÉÉN-NUL VOOR BRAZILIË, IN DE NEGENTIGSTE MINUUT. DAT IS TOCH NIET TE GELOVEN?'

Precies op dat moment glipten we naar buiten. Naar buiten en naar beneden, alsof de duivel ons op de hielen zat.

Voor mijn huis vielen we elkaar in de armen. 'Eén-nul voor Brazilië,' schreeuwden we. 'Het is gelukt. Gelukt! Gelukt! Gelukt!'

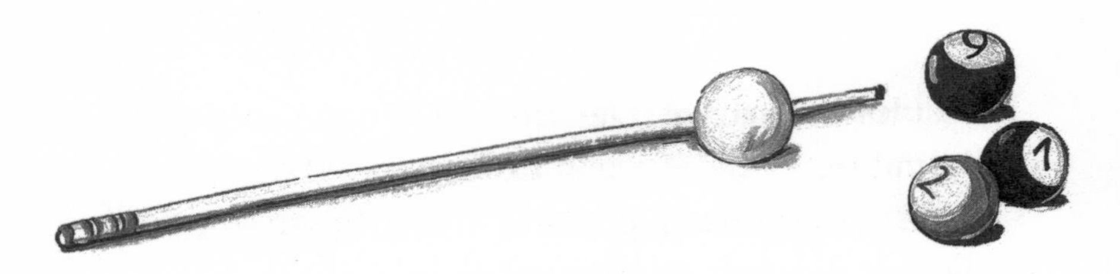

EEN GOED EN EEN SLECHT TELEFOONTJE

Toen we boven aankwamen, was mama er al.

'We zijn bij Flo geweest,' zei ik, voordat ze boos kon worden. 'Voer voor Harms halen en kijken of er post was.'

Mama wilde net iets zeggen toen de telefoon ging.

'Ene Alex voor je aan de lijn,' zei mama toen ze weer de keuken in kwam. 'Is dat niet die jongen uit de Speicherstadt?'

Alex? Voor mij? Ik was zo geschrokken dat ik als aan de grond genageld naast de keukentafel stond. Hoe kwam Alex nou aan mijn telefoonnummer?

'Daar kijk je van op, hè?' zei hij aan de telefoon. Hij lachte. 'Ik heb gespioneerd. Je slaapzak.' Weer lachte hij. 'Daar stond een naam op, Lola Veloso. En in het telefoonboek kwam die naam maar twee keer voor. We zijn alweer terug, dat wilde ik je even zeggen. Mijn vader had zich vergist in de dag. Vandaag

moest hij dat artikel inleveren. En... ben je blij?'

Ik knikte.

'Lola? Waarom zeg je niets?'

'Ja,' zei ik schor. 'Ja, natuurlijk ben ik blij.'

'En? Heb je morgen tijd?'

'Ja,' zei ik weer. 'Na school. We zouden...'

'Kom morgen maar naar ons toe, jij en Flo,' onderbrak Alex me. 'Mijn pa heeft gezegd dat hij taart voor ons haalt.'

Toen we na school naar de Speicherstadt liepen, kocht Flo onderweg een enorme zak lolly's. Bij de voordeur stond Pascal. Zijn zwarte haar zat helemaal in de war en toen hij Flo zag, boog hij zijn hoofd. Achter hem verscheen Alex. Hij keek me met zulke stralende ogen aan dat ik er bijna niet goed van werd. Ik dacht aan mijn belofte. Als alles voorbij was, zou ik hem de waarheid vertellen. Dat had ik me voorgenomen. Maar het zou pas voorbij zijn als ik ons artikel zag. Zwart op wit in de krant.

Flo hield de zak met lolly's voor Pascals neus. 'Hier. Voor jou. Het spijt me van wat ik eergisteren

zei. Ik meende het niet. Ik wilde alleen niet dat jullie weg zouden gaan.'

Pascal greep naar de zak en gaf Flo een stralende glimlach. 'Komen jullie met ons biljarten?'

Flo lachte. 'Biljarten? Jij komt niet eens boven de tafel uit.'

'Dat moet je niet zeggen.' De uitslover kwam uit de badkamer. Zijn haar was nat en er hing een wolk van aftershave om hem heen.

'Mijn zoon is een groot biljarttalent. Hier...' De uitslover zette Pascal op een stoel voor de biljarttafel. 'Maar kijk uit dat je niet valt. En maak geen krassen op het biljartlaken. Dan ga ik nu maar even taart halen.'

'Pa, wacht even!' Alex draaide zich om naar de uitslover. 'Toen je onder de douche stond, belde Hannes. Je moet hem terugbellen.'

Hannes? Ik wierp een snelle blik naar Flo. Was Hannes niet de man van de *Scene*?

'Jij bent samen met Lola,' zei Pascal tegen Alex, terwijl de uitslover de wenteltrap op liep. Pascal hield zijn grote broer een biljartkeu voor. Hij bedoelde natuurlijk dat Alex en ik samen moesten spelen tegen hem en Flo. Maar Alex glimlachte naar me.

'Ik ben samen met Lola,' herhaalde hij. 'Dat klinkt goed.'

Ik begroef mijn handen in mijn broekzakken en kromp in elkaar, omdat mijn hand iets ronds voelde. Biljartbal nummer 8. O nee, ik had nog steeds de sleutels in mijn zak! Op de een of andere manier moest ik die terug zien te leggen. Het beste zou zijn om de bal in één van de gaten in de hoek van het biljart te stoppen. Dan zou de uitslover denken dat hij daarin was gevallen.

Ik trok mijn hand uit mijn zak, pakte de zwarte driehoek en begon de ballen te verzamelen. Ik moet een goed moment afwachten, dacht ik, als niemand kijkt.

Maar dat moment kwam niet, omdat Alex voortdurend naar me keek of naast me stond en mijn hand vasthield.

Pascal was inderdaad een groot biljarttalent. Hij was net een kleine beroepsspeler, zoals hij daar op die stoel met zijn tong tussen zijn tanden stond en de ene bal na de andere in de gaten stootte. Ik had nog nooit gebiljart en wist niet goed hoe ik de keu moest vasthouden.

'Zo doe je dat,' zei Alex, en hij ging achter me staan. Hij legde zijn armen om me heen en hielp me om de keu in de goede richting te stoten. Dat was best moeilijk omdat mijn handen trilden en mijn hoofdhuid jeukte als een gek. Maar misschien was het ook zo moeilijk omdat ik ergens anders naar keek.

Ik keek naar de uitslover, die met een heel vreemde uitdrukking op zijn gezicht de wenteltrap af liep.

'Naar boven,' zei hij met een ijskoude stem. 'Naar boven jullie.'

Alex liet me los en Pascal klom verbaasd van zijn stoel. Maar de uitslover keek niet naar zijn zoons, maar naar ons. Hij keek Flo en mij aan.

'Nu me-teen,' zei hij.

Het monster op de bovenste trede was niet de enige reden waarom Flo me bij de hand moest nemen. Alex en Pascal liepen achter ons. Pascal vroeg de hele weg naar boven wat er was, maar niemand gaf antwoord.

De computer op het bureau stond aan, op de grond bromde de printer en op de bureaustoel lag een stapeltje papier. De uitslover pakte het bovenste vel. En toen las hij voor:

De Parel van het Zuiden

Dit Braziliaanse havenrestaurant met de overrompelend exotische naam zal gauw heel veel klanten krijgen. Achter de bar werkt de baas van het huis. Hij komt uit Brazilië. Hij is ijverig en buitengewoon beleefd, wat er ook gebeurt. De tweede baas van het huis is een oudere heer uit Duitsland. Ook hij is buitengewoon ijverig en vriendelijk.

In de keuken maakt de stijlvolle kok culinaire verleidingen klaar, en romantische diners uit Brazilië. De vis is altijd warm en de wijn heeft precies de juiste koude temperatuur. Soms helpen twee hulpvaardige meisjes bij het spoelen van de glazen. De mooie serveerster brengt de gasten hun eten en 's avonds zingt ze op het podium. Ze heeft een stem als Maria Bethania en haar aanblik is hartverwarmend.

De gasten blijven tot diep in de nacht. Voor de kinderen is er een kinderdisco.

Er zijn helemaal geen ratten in De Parel van het Zuiden.

Als u uw favoriete vrienden en alle andere mensen een dienst wilt bewijzen, zeg dan dat ze naar De Parel van het Zuiden moeten gaan. Kom allemaal. Elke dag, ook zondag. Dat wil ik u dringend adviseren, want De Parel van het Zuiden is de top van Hamburg en ook nog eens een wereldtopper.

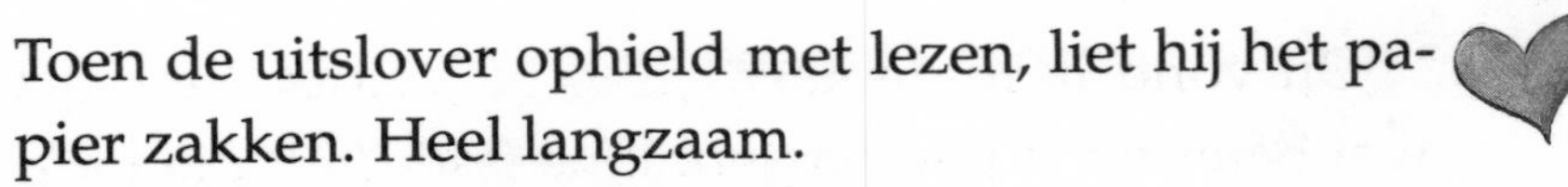

Toen de uitslover ophield met lezen, liet hij het papier zakken. Heel langzaam.

Pascal zei: 'Daar wil ik ook eten.'

Alex zei niets. Flo zei niets. Ik zei niets.

De uitslover zei niets.

Zo verstreken er 29 seconden. Ik wist dat het precies 29 seconden waren, omdat het zo stil was dat ik de secondewijzer van mijn horloge kon horen tikken.

En toen deed Flo een laatste, wanhopige poging. 'Waarom leest u dat voor?' vroeg ze op een ongelofelijk onschuldige toon.

De uitslover glimlachte. 'Ik lees dat voor omdat ik net gebeld ben door het afdelingshoofd van de *Scene*. Hij wilde weten of ik dronken was toen ik het artikel over dat Braziliaanse havenrestaurant schreef. Ik zei dat ik niet begreep wat hij bedoelde, en toen zei hij dat ik nog maar eens in mijn computer moest kijken. Daar zag ik dit artikel. En toen zag ik nog iets, wat me gisteren in alle haast helemaal niet was opgevallen.'

De uitslover wees naar de vloer. Twee paar vieze schoenafdrukken wezen in de richting van de kast. Ik had het gevoel dat ik tegelijk groeide en kromp, wat vreselijk was.

Daarna hield de uitslover, nog steeds glimlachend, de spionagepen onder mijn neus.

'Dit vond ik in de kast,' ging hij verder. 'Je moet wat beter op je pen passen, Jane Fond. En die pieslucht komt vast ook niet van die keer toen je op weg naar de wc de verkeerde deur had genomen, zie ik dat juist? En zie ik het eveneens juist dat het me langzaam duidelijk wordt dat ik jullie twee al eens eerder heb gezien? Bij het glazen spoelen achter de bar in De Parel van het Zuiden, geschminkt als een zwarte kat en een spinnenvrouw?'

De uitslover hield niet op met glimlachen, terwijl dat krimp- en groeigevoel bij mij was gestopt. In plaats daarvan brak het koude zweet me uit, overal, op mijn handen, onder mijn oksels en op mijn rug.

'Maar wat me tot nu toe nog niet duidelijk is,' ging de uitslover verder, 'is hoe jullie aan mijn wachtwoord zijn gekomen. Maar misschien kan Alex me dat vertellen, die jij zo knap het hoofd op hol hebt gebracht, krullenbol. En wat ik ook nog mis, zijn mijn sleutels. Mijn sleutels die aan een kleine, zwarte biljartbalsleutelhanger hingen. Voordat we vertrokken had ik ze op de biljarttafel gelegd, maar daar lagen ze niet meer. Ik heb Pascal op zijn kop gegeven omdat ik dacht dat hij ze had verstopt.'

'Maar dat is niet zo,' zei Pascal koppig. Hij leek de enige te zijn die nog steeds niet doorhad wat er gebeurde.

Flo stond naast me en wankelde, alsof er een storm om haar heen woedde. Alex stond achter me. Zijn blik voelde als een vuurbal die zich in mijn rug boorde.

En de uitslover, die tot dan toe had geglimlacht, en heel zacht had gepraat, schreeuwde ons nu een laatste vraag in het gezicht: 'Nu vraag ik me alleen nog af wat ik eerst moet doen: de politie bellen of jullie ouders waarschuwen! Als ze er tenminste zelf niets mee te maken hebben! Na alles wat me in jullie restaurant is overkomen, zou het me helemaal niet verbazen als zulke mensen hun kinderen aansporen om zoiets te doen! Maar één ding is zeker: jullie restaurant komt hoe dan ook in de *Scene*. Ik zal alles – en dat kun je gerust van me aannemen – ALLES doen om het artikel opnieuw te schrijven en in te leveren. En ik zweer je dat als ik klaar ben, het met jullie gedaan is.'

Flo ging nog heftiger wiebelen.

Pascal peuterde in zijn neus. Daarbij keek hij onzeker naar mij en Flo.

Ik draaide me om naar Alex. Hij keek me aan alsof hij het allemaal niet kon geloven.

Ik weet niet waar ik de kracht vandaan haalde om te praten.

Maar ik vond hem. Toen ik begon, was ik opeens heel rustig.

'Je vader heeft gelijk, Alex. We hebben tegen jullie gelogen. Ik heb tegen jou gelogen. Keihard. De Parel van het Zuiden is van mijn vader en mijn opa. In mei was het openingsfeest. Flo en ik hebben op het podium gezongen. Het was het mooiste feest dat ik ooit heb meegemaakt. Het was de mooiste dag die ik ooit heb meegemaakt. Maar daarna kwamen er niet meer genoeg klanten en hadden we niet meer genoeg geld. Mijn opa had jouw vader gebeld, zodat hij bij ons zou komen en een artikel voor de krant zou schrijven. En je vader kwam ook, op mijn tiende verjaardag. Maar hij was gemeen. Zo gemeen. Hij maakte de moeder van Flo helemaal woedend. Ze werkte bij ons als serveerster. Soms zong ze ook. Nu is ze gestopt. Ze gaat naar Berlijn, naar een vijfsterrenhotel, omdat de man van het hotel haar mooi vindt zingen. In december begint ze. Dan verlies ik mijn beste vriendin. En wij verliezen ons restaurant omdat de bank ons geen geld meer geeft als er geen klanten komen. Daarom wilden we proberen om het artikel te veranderen. Ik heb aan alles gedacht wat fout kon gaan. Maar er is één ding waar ik niet aan had gedacht: dat ik verliefd op je zou worden. Dat ik verliefd zou worden op iemand tegen wie ik moest liegen. Dat was het ergste. Ik wilde het je allemaal vertellen als alles voorbij was. En dat is het nu.'

Toen ik ophield met praten, zag ik dat Flo me aanstaarde. Het leek of ze naar het papier zocht waarvan ik mijn toespraak had voorgelezen. Maar er was geen papier. De woorden waren er gewoon uitgekomen, sneller dan toen ik het artikel had geschreven. En nu had ik alles gezegd.

Ik draaide me weer om, naar de uitslover, die was gaan zitten op het stapeltje papier dat nog steeds op zijn stoel lag. Ik gaf hem de sleutelhanger. 'Onze ouders weten hier niets van. Het was helemaal ons idee,' zei ik. 'En Alex had niets met dat wachtwoord te maken. Ik heb het zelf ontdekt. Ik wil sorry zeggen tegen uw zoons. Maar tegen u zeg ik geen sorry. U kunt met ons doen wat u wilt, het kan me niet meer schelen. Alles wat er nu gebeurt, kan me helemaal niets meer schelen.'

En terwijl Flo's schouders naast me begonnen te trillen, stond ik daar, stijf als een soldaat in de houding, en keek ik de uitslover in zijn ogen.

Er gingen zeventien seconden voorbij.

Ten slotte stond de vader van Alex op en maakte hij een beweging met zijn hand. *Eruit jullie*. Dat was wat zijn hand zei.

En zo gingen we naar buiten. Flo en ik. Langs Pascal, die zijn neus omhoog trok, langs Alex, die naar de grond keek, en langs de kikkerkoning op de

bovenste trede, die daar voor zich uit zat te staren.

Voor de eerste keer in mijn leven liep ik langs een kikker zonder dat ik iets van mijn fobie merkte.

Ik voelde niets, helemaal niets. Mijn lichaam was leeg, alsof het was uitgehold, en de hele terugweg lang zeiden Flo en ik geen woord.

TWEE GOEDE BERICHTEN OP HET VERKEERDE MOMENT

Thuis werden we opgevangen door papai. Hij stond in de gang, straalde als een zonnetje en trok ons mee naar de keuken. Hij leek helemaal niet te merken dat er iets mis was met ons. Sinds weken had ik hem niet meer zo goedgehumeurd gezien.

'Zo,' zei hij. 'Zo, wat willen jullie het eerst horen? Het goede nieuws, of het heel goede nieuws?'

Papai hield zijn hoofd een beetje schuin. Toen er geen antwoord kwam, pakte hij onze handen en slingerde ze heen en weer.

'Goed dan, het goede nieuws is: opa en ik zijn ontzettend enthousiast over jouw idee van die kinderdisco in De Parel van het Zuiden. Het is een geweldig idee, ook al wilde ik dat eerst niet geloven. Opa heeft flyers gemaakt die we zaterdag op het benefietconcert gaan uitdelen. We nodigen de mensen uit voor een feest na het concert. Het wordt dan wel niet helemaal

een kinderdisco, maar met een beetje geluk krijgen we een geweldige avond waarop we nieuwe klanten kunnen trekken. En hou je nu goed vast.' Papai kneep in onze handen. 'Want nu komt het heel goede nieuws: Penelope heeft vanochtend gebeld. Ze heeft haar week op proef onderbroken. Vanmiddag komt ze al terug. En ik heb haar beloofd dat we alles zullen proberen om haar bij ons te houden. En, wat zeggen jullie daarvan? Nu hebben jullie je tong verloren, hè?'

Op de een of andere manier wist ik ergens een glimlach vandaan te halen. Dat was moeilijk, want het leek of mijn mond van steen was. Maar ook dat leek papai niet te merken. Hij woelde met zijn hand door ons haar en twee minuten later liep hij vrolijk fluitend het huis uit.

'We moeten het hem vertellen, Lola,' zei Flo na een hele tijd. Ik knikte. Toen ging ook Flo weg en sleepte ik me naar mijn kamer. Op mijn bed lag een dubbelgevouwen vel papier, met daarnaast een briefje van mama.

Hallo Lola, ik heb de ascendant gevonden die we ooit hebben laten uitrekenen. Kusje, mama.

Ik vouwde het papier open. Zoals mama al had gezegd, was ik om vijf voor twaalf geboren in Klötze. Maar niet om vijf voor twaalf 's middags, zoals ik Alex had verteld. Ik was vijf minuten voor middernacht geboren. Mijn ascendant was leeuw.

HET BENEFIETCONCERT

Ik weet niet meer precies hoe de volgende dagen voorbijgingen. Het werd donderdag, het werd vrijdag, en elke ochtend nam ik me voor om met papai te gaan praten. Om hem alles te vertellen. Maar ik kreeg het niet voor elkaar. Ten slotte besloot ik om te wachten tot na het feest.

Penelope had Flo over Berlijn verteld, en Flo vertelde het weer aan mij. Het Grand Hotel was een mooie tent, met rijke gasten uit de hele wereld en een zwarte vleugelpiano in de ontvangsthal. Elke avond was er muziek en werd er gezongen.

Maar voor Penelope was het de hel geweest. Ze vond de pianist niet leuk, die heel verwaand tegen haar deed omdat ze geen muziek had gestudeerd. Ze vond de liedjes niet leuk, want die waren ontzettend saai. Ze vond de mannen niet leuk, die naar haar benen keken terwijl ze aan het zingen was. En

ze vond hotelmanager Ronald Stuck niet leuk, die tegen haar had gezegd dat ze een ander kapsel moest nemen en kortere rokjes moest dragen.

'Ik werk liever in een vistent dan op een vleesmarkt,' had Penelope tegen Flo gezegd. Wat Penelope daar ook mee bedoelde: ze was terug, en papai's goede humeur werkte aanstekelijk. Papai's goede humeur was net als de griep – iedereen raakte ermee besmet, behalve Flo en ik.

Ondertussen had iedereen natuurlijk gemerkt dat er iets mis was met Flo en mij. Maar als iemand iets vroeg, dan zwegen we.

Ook de uitslover zweeg. Elke keer als de telefoon ging, kromp ik in elkaar, maar hij belde ons nooit. Ook de politie belde niet. En Alex belde ook niet. Dat was nog het ergste.

Op zaterdagmorgen werd ik wakker gemaakt door papai. 'Vooruit Cocada, we hebben vandaag jouw hulp nodig. Ballonnen opblazen, tafels versieren, flyers neerleggen. Om tien uur zien we Flo en Penelope in het restaurant.'

En zo ging de zaterdagochtend voorbij.

Toen we klaar waren met versieren, zag het restaurant er bijna nog mooier uit dan op de dag van de opening. Buiten hing een enorme tros ballonnen. Groene en gele, de kleuren van Brazilië. Dit keer had opa zich niet vergist in de kleuren. Boven de tafels hingen lampionnen en Penelope had de grote pot met parels opnieuw gevuld. Een parel van het zuiden voor elke klant – net zoals Flo indertijd had verzonnen. In de keuken werd keihard gewerkt door Dwerg, Berg en de oma van Sol. Die dag zouden ze feestelijke Braziliaanse hapjes klaarmaken.

Om halfvier gingen papai en Penelope met mij en Flo naar de visveiling. Die ligt aan de Hamburgse haven. Het is een heel grote en prachtige hal, waar op zondag vis wordt verkocht. Maar er worden ook vaak feesten en concerten gegeven, zoals vandaag. In de hele hal stonden stoelen opgesteld, lange rijen, tot dicht bij het podium.

Penelope begon meteen overal flyers neer te leggen, en ze praatte voortdurend heel enthousiast over de Braziliaanse band die na Rolf Zuckowski zou optreden.

'Eduardo Macedo was ooit eigenaar van de eerste Braziliaanse bar in Hamburg,' zei ze tegen Flo en mij. 'Toen waren jullie nog niet eens geboren. Die tent was echt legendarisch, ik zat er bijna elk weekend. Ze hadden ook een podium. Elke avond speel-

de en zong Eduardo daar, soms tot diep in de nacht. Beroemde sterren gingen er na hun eigen concerten vaak heen. Eduardo nodigde ze dan uit op het podium en soms mocht zelfs ik met hem zingen. O man, die tijd zal ik nooit vergeten.' De ogen van Penelope glommen bij de herinnering. 'Maar op een dag sloot hij de tent. Sindsdien heb ik niets meer van hem gehoord. En vandaag treedt hij hier op. Waanzinnig, dat wordt vast geweldig!'

'Ik weet het niet,' zei papai, en hij fronste zijn voorhoofd. 'Ik vraag me al de hele tijd af waarom ze voor zo'n concert stoelen neerzetten. Dit is geen muziek om bij stil te zitten, vooral niet met kinderen erbij. De Duitsers hebben echt geen idee hoe je moet feestvieren.'

Ondertussen waren bijna alle stoelen bezet. De mensen hielden onze flyers in hun handen. Er waren minstens tweehonderd volwassenen, en zeker net zoveel kinderen. Ook zaten er heel veel Brazilianen in het publiek. Ik had nooit gedacht dat er zo veel van ons in Hamburg woonden! Ook de Braziliaanse moeder met de drie kinderen was er.

Uit onze klas waren Sol en Frederike gekomen, en uit mijn peteklas Moritz en zijn moeder. Oma zat met tante Liesbeth op schoot. Ze droeg Flo's doodskoppet en mijn zwarte zonnebril.

Toen de muziekproducent Sam Kent voor het eerste deel van het concert de beroemde zanger Rolf Zuckowski aankondigde, riep mijn tante uit volle borst: 'Koffie, leuk!'

Ja, Rolf Zuckowski was echt goed, maar de sfeer was niet geweldig, daar had papai helemaal gelijk in gekregen.

Al bij het eerste lied van Rolf Zuckowski begonnen de kinderen te wiebelen. Maar ze konden niet gaan staan, omdat de stoelen in elkaar gehaakt waren. Zelfs Flo zat naast me met haar benen te wippen. Dit was muziek om op te dansen, maar dat kon hier niet.

Ik vond het wel best. Ik was helemaal niet in de stemming om te dansen. Doodstil zat ik daar, helemaal op de achterste rij aan de buitenkant. En toen Rolf Zuckowski zijn eerste rustige lied zong, liep ik weg uit de hal. Dat lied heette 'Kijk eens naar de sterren' en ik moest mijn oren dichthouden toen ik naar buiten liep, anders was ik gaan huilen.

Het was een regenachtige, grijze dag, die precies bij mijn stemming paste. Het kon me niet schelen dat ik nat werd, het kon me niet schelen dat ik het koud had. Ik liep gewoon een beetje door de straat, en toen ik terugkwam, waren de concerten voorbij.

Eduardo Macedo & Kakao Company maakten net

een buiging op het podium. Eduardo Macedo had een veel lichtere huid dan mijn papai, maar hij had net zulke zwarte haren en net zo'n brede, warme glimlach. Links van hem stonden een kleine, een middelgrote en een heel grote Braziliaan en aan zijn rechterkant stond een vrouw met rood haar en een saxofoon. Het leek of ze de enige Duitse was.

'Heel erg bedankt voor het luisteren,' zei Eduardo Macedo. 'Vooral de kinderen wil ik bedanken. Jullie hebben het goed uitgehouden op die stoelen. Maar als je nog zin hebt om te dansen...' Eduardo Macedo hield onze flyer omhoog. 'Dan moet je je benen meenemen naar De Parel van het Zuiden. Daar wordt straks een feest gevierd, en wij gaan er ook naartoe. Het geld voor elk eerste drankje gaat naar de Braziliaanse straatkinderen. Er zijn veel straatkinderen in Brazilië, en ik hoop dus dat er heel veel eerste drankjes worden besteld!'

De mensen verlieten in drommen de hal en de kinderen waren helemaal uitgelaten, alsof ze niet konden geloven dat ze eindelijk weer mochten bewegen. Vooral de Brazilianen praatten wild door elkaar heen.

'Fantástico,' zei papai tegen Penelope. Dat betekent 'fantastisch', en papai zegt dat alleen als hij ergens diep van onder de indruk is. In dit geval was dat de Braziliaanse band.

'En nu gaan ze naar het restaurant,' zei Penelope stralend. 'En Eduardo Macedo heeft ze uitgenodigd op ons feest. Ik kan het bijna niet geloven!'

'Ik ook niet,' zei papai. 'Heb je al die Brazilianen gezien? Zo veel, lieve help, wat stom dat we niet eerder flyers hebben uitgedeeld bij concerten! Maar beter laat dan nooit, wat jij, Cocada?' Papai drukte me tegen zich aan. 'Lach nou eindelijk eens, wat is er toch met je aan de hand?'

'Niets,' zei ik, en ik trok mijn mondhoeken naar boven, maar een lach kreeg ik niet voor elkaar.

Toen we aankwamen bij De Parel van het Zuiden barstte het restaurant al bijna uit zijn voegen. Er waren veel minder mensen dan in de visveilinghal, maar tenslotte was er bij ons ook veel minder ruimte.

'We moeten improviseren,' riep opa, die achter de bar stond. Improviseren betekent snel iets doen wat niet gepland is, en dat kan mijn papai als de beste. In een paar tellen waren alle tafels aan de kant geschoven.

Rolf Zuckowski was er niet, maar de muziekproducent Sam Kent wel, en ook de Kakao Company met Eduardo Macedo.

Toen de Braziliaanse muzikant Penelope zag, liep hij op haar af en kuste hij haar op allebei de wangen. Ik zag hoe ze aan het praten waren. Het leek of

Eduardo iets vroeg aan Penelope, want ze knikte heftig. En toen ze zich naar ons omdraaide, straalde haar gezicht.

Maar toen werd ze opeens helemaal bleek. Ze wees naar de deur, en ik draaide me om.

Ik draaide me om en zag Alex.

Naast hem stond Pascal.

En achter hen stond de uitslover.

EEN AVOND ZONDER STERREN

Het leek wel of de grond onder me een magneet was. Om mij heen maakten de gasten een enorm lawaai en er klonk gelach. Maar ik stond daar maar en staarde naar Alex, Pascal en de uitslover. Hij liep langs zijn zoons, in mijn richting. Ik wilde rennen, rennen, rennen. Maar ik kon me niet bewegen. De magneet hield me vast.

De uitslover stond nu bijna voor me. Hij glimlachte en liep toen langs me naar de bar toe. Zijn zoons stonden nog steeds bij de deur. Pascal had de hand van Alex vastgepakt en keek in ons restaurant met grote ogen om zich heen.

Penelope was ook naar de bar gelopen. Half angstig, half kwaad keek ze de uitslover aan. Naast Penelope stond Flo. Ze klemde zich vast aan een barkruk.

Ik kon niet horen wat de uitslover zei tegen papai,

opa en Penelope. Ik zag alleen dat de mond van papai openviel en dat opa verstijfde. Ik zag hoe Penelope haar hoofd liet zakken. Ik zag hoe Flo naar adem hapte.

Toen stond Flo opeens naast me. 'Hij heeft sorry gezegd, Lola,' fluisterde ze. 'Hij zegt dat hij die dag een rothumeur had. Hij zegt dat het hem spijt. Hij zegt dat hij met de *Scene* heeft gepraat. Hij kan zijn artikel over ons later inleveren. Hij vroeg aan je papai of dat in orde was.'

Ik kon me nog steeds niet bewegen. Ondertussen had de Kakao Company de instrumenten op het podium neergezet. De uitslover zat aan de bar en nam een groot glas bier aan van papai. Daarmee draaide hij zich om, naar Flo en mij. Hij proostte naar ons, glimlachte en knipoogde.

Ik knipoogde niet terug, omdat mijn tranen in de weg zaten. Ik zag alles heel troebel: de gasten, papai, Penelope en de band op het podium, die nu begon te spelen. Een wild Braziliaans lied, met trommels, saxofoon, keyboard, bas, gitaar en zang.

'En, Lola,' riep een stem in mijn oor. 'Wil je nu met me dansen? Ook al heeft het een paar dagen geduurd voordat ik pa kon overhalen?'

Ik draaide me om. Alex stond naast me en bood me zijn hand aan. En eindelijk liet de magneet-

grond me gaan. Ik pakte de hand van Alex en even later waren we aan het dansen.

Behalve wij dansten er nog veel meer mensen. Flo en Sol, Pascal en tante Liesbeth en nog honderd andere kinderen en volwassenen. Ze kronkelden, huppelden, sprongen en wervelden op de dansvloer. De Kakao Company was echt fantástico. Ze speelden het ene vurige lied na het andere, en toen Flo vroeg naar 'Cho-co-la-te', kenden ze dat nog ook.

Er was één ding waar papai geen gelijk in had, dacht ik toen ik rondkeek op de dansvloer. De Duitsers weten best hoe je moet feestvieren, vooral als er Brazilianen bij zijn.

En omdat feestvieren hongerig en dorstig maakt,

serveerden papai en opa niet alleen heel veel eerste drankjes, maar ook veel tweede, derde, vierde en vijfde. Penelope kwam uit de keuken met de Braziliaanse hapjes: gefrituurde gehaktballetjes, allerlei soorten pasteitjes, garnalen, maïsballetjes, rijst volgens het recept van het huis, en natuurlijk *papos de anjo*, de heerlijke engelenkeeltjes van Dwerg.

'En, smaakt het?' vroeg Flo aan de uitslover, die met een enorm bord naast het buffet stond en net een gevuld krabkoekje in zijn mond stak.

'Wat een culinaire verleiding,' zei de uitslover grijnzend. 'En de vis is precies warm genoeg!'

Het buffet werd sneller bijgevuld en geleegd dan wij konden kijken, en één keer hoorden we gerinkel in de keuken. Het klonk alsof er duizend borden waren gevallen. Dwerg schreeuwde: 'Merda,' maar de gasten klapten en iemand riep: 'Scherven brengen geluk!'

Daar moest ook de uitslover om lachen. Hij was een van de weinigen die niet danste, maar hij wipte de hele tijd met zijn voeten op de maat van de muziek. Naast hem stond Sam Kent, de muziekproducent.

'Ik dacht eigenlijk,' zei Eduardo Macedo in de microfoon, 'dat de tijd van Braziliaanse bars in Hamburg voorbij was. Maar daar heb ik me in vergist.

Het volgende lied draag ik op aan De Parel van het Zuiden, en daarvoor wil ik een zangeres op het podium vragen die ik nog ken uit de goeie ouwe tijd: Penelope Zomer!'

Toen Penelope het podium op ging, kneep ik in de hand van Alex. Flo zag eruit alsof ze elk moment kon ontploffen van trots.

De handen van Penelope trilden toen ze de microfoon aannam van Eduardo Macedo en de band een lied van Maria Bethania begon te spelen. Maar de stem van Penelope trilde niet. Die was tegelijk rauw en zacht, en zo mooi dat ik mijn ogen moest sluiten.

Het was een langzaam lied, zo langzaam dat bijna niemand danste. Maar toen het afgelopen was, barstte er een enorm applaus los. Alleen Sam Kent en de uitslover klapten niet. Sam Kent liep naar het podium en de uitslover zat op zijn barkruk en wreef in zijn ogen.

Toen de band weer begon te spelen, trok Alex me mee naar buiten.

Aan de hemel scheen een bleke maan. Alleen sterren zagen we niet, daarvoor is er meestal te veel licht in de stad. Maar ik had sowieso mijn ogen dichtgedaan, want dat doe je als je de jongen kust van wie je houdt.

'Ik hou van je' is in het Braziliaans trouwens: *Eu te amo*, en in het Frans: *Je t'aime*.

Maar dat zeiden Alex en ik pas de volgende dag tegen elkaar. Op het vliegveld. We zeiden het zachtjes en we zeiden het snel en toen moest Alex rennen met Pascal aan zijn hand, anders hadden ze hun vliegtuig naar Parijs gemist.

WAT ER VERDER NOG GEBEURDE

Eigenlijk wilde ik nu ophouden, maar Flo zegt dat ik de helft vergeten ben, en ik denk dat ze daar gelijk in heeft. Er gebeurde nog heel veel na het feest in De Parel van het Zuiden, dat nu vier weken geleden is. Ik moest even nadenken over hoe ik de belangrijkste gebeurtenissen het beste kon opsommen. Een soort eindlijst, dus.

Hier komt hij:

- De muziekproducent Sam Kent vroeg Penelope of ze zin had om samen met Eduardo Macedo een cd met Braziliaanse liederen op te nemen, en Penelope heeft ja gezegd.

- De uitslover vroeg Penelope of hij haar een keer mee uit eten mocht nemen, en Penelope heeft nee gezegd.

- Eduardo Macedo bood papai aan om één keer per maand in De Parel van het Zuiden te spelen. Bovendien had hij heel veel goede tips en beloofde hij om op al zijn concerten reclame te maken voor het restaurant.

- Doordeweeks is het in De Parel van het Zuiden nog steeds behoorlijk rustig, maar in het weekend is opa steeds vaker blij dat de tent loopt. En vorige week kwamen er vijf reserveringen binnen voor verjaardagen en kerstdiners.

- Papai heeft Frederike, Flo en mij beloofd om na te denken over een kinderdisco in De Parel van het Zuiden.

- Op het vliegveld vond Pascal, vlak voor de vlucht naar Parijs, zijn fopsnoepje in zijn broekzak. Jullie weten wel, dat rode snoepje met vissmaak dat Flo hem op onze vlooienmarkt had gegeven. Pascal gaf het bij het afscheid aan zijn pa. Ik wilde de uitslover nog waarschuwen, maar Flo porde me in mijn ribben en toen heb ik maar niets gezegd. Toen we terugreden, sabbelde de uitslover in zijn cabriolet op het snoep-

je. Flo en ik verdraaiden onze nekken, maar de uitslover vertrok geen spier. Toen dacht ik: het was een slecht nepsnoepje, of de uitslover is echt cool.

- Oma en tante Liesbeth werden op straat aangesproken door een fotografe die kinderen fotografeert, en sindsdien maakt mijn tante reclame voor jongensmode. Haar foto's staan in alle grote tijdschriften.

- Ik heb nagedacht of ik papai eigenlijk nog moest vertellen wat Flo en ik hadden gedaan. Op een avond heb ik hem toen maar alles verteld. En wat denk je dat hij ervan vond? Niets! Papai geloofde er namelijk geen woord van.

- Papai en opa hebben nog een gesprek gehad met de bank. De krediethaaien zeiden dat als papai en opa een goed artikel konden laten zien van de beroemde restaurantcriticus Jeff Brücke, de geldkraan nog één keer zou opengaan.

- Morgen staat de serie 'Top en flop van het jaar in Hamburg, door Jeff Brücke' in de *Scene*. Dat

vertelde de uitslover ons gisteren. Wat hij over De Parel van het Zuiden had geschreven, wilde hij niet verklappen. Maar het kan niets slechts geweest zijn, want hij zei dat we maar een fles champagne koud moesten zetten.

- Sinds het feest komt Jeff Brücke drie keer per week eten in De Parel van het Zuiden, en elke keer vraagt hij of Penelope met hem uit eten wil. Gisteren zei ze voor het eerst: 'Misschien.'

- Flo heeft de brieven van haar vader gelezen. Het zijn er meer dan twintig. Ze heeft me verteld dat haar vader in een ziekenhuis voor alcoholisten is geweest en nu niet meer drinkt. Maar ze zei ook dat ze nog wat meer tijd nodig heeft om zijn brieven te beantwoorden.

- Ik schrijf om de dag naar Alex en hij schrijft om de dag naar mij. Soms noemt hij me in zijn brieven Jane Fond, soms noemt hij me Lola Leeuwin en soms schrijft hij: *ma chérie.* Dat is Frans en het smelt op mijn tong als een magisch woord.

Tja, dat was het dan, mijn verhaal.

Nu denk ik er soms over na wat ik 's nachts wil zijn als ik niet slapen kan.

Maar op dit moment ben ik alleen maar gelukkig.

© Boris Rostami

Isabel Abedi werd in 1967 in München geboren. Ze groeide op in Düsseldorf. Na haar eindexamen bracht ze een paar jaar door in Los Angeles, waar ze au pair was en stagiaire bij een filmproductie. Daarna volgde ze in Hamburg een opleiding tot reclametekstschrijfster. In dat beroep heeft ze dertien jaar gewerkt. 's Avonds schreef ze thuis verhalen voor kinderen en ze droomde dat ze daar ooit van zou kunnen leven. Die droom is werkelijkheid geworden. Isabel Abedi is een gepassioneerde kinderboekenschrijfster. Sommige van haar boeken, die bij verschillende uitgeverijen zijn ondergebracht, werden in meerdere talen vertaald en ook bekroond. Isabel Abedi woont tegenwoordig met haar man en twee dochters in Hamburg – en net als bij Lola komt ook in haar gezin de 'papai' uit Brazilië!

© Ulrike Schacht

Dagmar Henze werd in 1970 geboren in Stade. Ze volgde haar opleiding tot illustrator aan de *Fachhochschule für Gestaltung* in Hamburg en heeft sindsdien bij verschillende uitgeverijen talrijke kinderboeken geïllustreerd. Als ze even niet aan haar tekentafel zit, gaat Dagmar Henze graag een rondje joggen met Isabel Abedi – en dan komen ze langs de school van Lola, de geitenschool! Want net als Lola woont Dagmar Henze in Hamburg. Daarom vond ze het ook zo leuk om de tekeningen te maken voor de Lola-boeken.